Nathalie Léger

Supplément à la vie de Barbara Loden

Gallimard

*Pour l'écriture de ce livre, l'auteur a bénéficié
du Programme des Missions Stendhal de l'Institut français.*

Née en 1960, Nathalie Léger est l'auteur de plusieurs ouvrages dont *L'Exposition,* qui a reçu le prix Lavinal Printemps des lecteurs 2009, et *Supplément à la vie de Barbara Loden,* prix du livre Inter 2012.

« Et ça, c'est trop transparent ou pas assez ?

— Ça dépend si vous voulez montrer la vérité.

— C'est comment la vérité ?

— C'est entre apparaître et disparaître. »

Jean-Luc Godard,
Détective

Vue de loin, une femme se détache de l'obscurité. Sait-on d'ailleurs que c'est une femme, on est si loin. Sur fond d'éboulement, une minuscule figure blanche, à peine un point sur l'immensité sombre, progresse lentement et sans heurts à travers les décombres accumulés qui la surplombent, à travers les pans énormes coupés d'excavations, de dépressions pierreuses, de biais terreux près d'être défoncés par les camions. On suit en plan très large cette miniature diaphane qui se déplace avec insistance sur l'horizon bouché. Et parfois, la poussière absorbe et dissout la figure qui chemine obstinément, irradie un instant puis ne fait plus qu'une tache floue, presque indistincte, rendue transparente comme un trou lumineux dans l'image, un point aveugle sur le paysage détruit. Oui, c'est une femme.

Auparavant on l'a vue assise à l'arrière d'un autobus vide, regardant au-dehors mais ne regardant rien, et on a entendu, répété deux fois, presque jeté, son nom, Wanda, Wanda, c'est une voix d'homme lançant par-dessus l'histoire une interrogation sourde, anxieuse, la seule fois qu'il prononce son nom.

On est entré dans la maison, on a vu quelques pièces mal meublées, des objets traînant ici et là, une vieille femme assise au fond, un chapelet entre les mains, le visage jauni par une lumière pâle et poussiéreuse, le regard dur posé sur une très ancienne absence. On recule un peu, un enfant tourne autour d'elle. On recule encore, on voit le dos d'une femme en chemise, les cheveux relevés en désordre, les épaules lasses, on pense que c'est elle, l'héroïne. On s'éloigne, on fixe un bébé qui pleure sur un lit. On glisse dans la cuisine mal éclairée, elle a pris l'enfant dans ses bras, on se demande où elle va trouver du lait, ses gestes sont lents, elle soupire, ouvre le frigidaire, déplace quelques ustensiles, cherche vaguement à calmer les cris. Un homme surgit, le père sans doute, il passe et fuit en maugréant, on le suit, la porte claque, et dans un même mouvement on découvre un corps étendu recouvert d'un drap, une blonde d'une trentaine d'années émerge lentement, bigoudis et canettes vides au pied du divan, elle s'assoit, encore défaite par le sommeil, *il m'en veut parce que je suis ici*, elle regarde par la fenêtre, l'horizon est bouché jusqu'au ciel, les

12

camions manœuvrent dans la poussière. C'est elle, c'est Wanda.

L'histoire de cette femme est racontée par l'actrice et cinéaste américaine Barbara Loden, dans un film de 1970, *Wanda*, le seul qu'elle ait jamais réalisé et dont elle est l'interprète. Barbara Loden *est* Wanda, comme on dit au cinéma. Pour écrire le scénario, elle était partie d'un fait divers lu dans les journaux de l'époque. Une femme avait été condamnée pour l'attaque d'une banque, son complice était mort, elle avait comparu seule devant le tribunal. Condamnée à vingt ans de prison, elle avait remercié le juge. Lorsque Barbara a été interrogée par des journalistes à la sortie de son film, notamment après avoir gagné le Prix de la critique au Festival de Venise en 1971, elle a souvent dit combien elle avait été bouleversée par le récit de cette femme : quelle douleur, quelle impossibilité de vivre, peut-elle vous conduire à désirer l'enfermement ? comment peut-on être soulagée d'être incarcérée ?

Une femme apparaît dans les plis d'un drap sale, délaissant à regret le sommeil, ne s'éveillant que pour s'enfoncer dans l'épaisseur contrariante de l'existence — de quoi a-t-elle rêvé ? de visages lumineux, de l'ordre calme d'une chambre, d'un geste de reconnaissance infiniment recommencé ?

1 Elle se redresse, aveuglée. Tout fuit, tout lui échappe, elle ne fera plus désormais que s'égarer parmi des ombres.

Tout se présentait bien. Je ne devais écrire qu'une notice dans un dictionnaire de cinéma. N'y mettez pas trop de cœur, m'avait dit l'éditeur au téléphone. Cette fois-ci, j'étais très sûre de moi. Convaincue que pour en écrire peu il fallait en savoir long, je plongeai dans la chronologie générale des États-Unis, traversai l'histoire de l'autoportrait de l'Antiquité à nos jours, bifurquai vers la sociologie de la femme dans les années 1950 à 1970, compulsai avec entrain des encyclopédies, des dictionnaires et des biographies, accumulai des informations sur le cinéma-vérité, les avant-gardes artistiques, le théâtre à New York, l'émigration polonaise aux États-Unis, engageai de longues recherches sur les mines de charbon (j'ai lu des récits d'exploitation, appris l'organisation sociale des métiers de la houille, 2 recueilli des informations sur les gisements de Pennsylvanie) ; je suis devenue incollable sur l'invention des bigoudis et l'émergence de la pin-up au sortir de la guerre. J'avais le sentiment de maîtriser un énorme chantier dont j'extrairais une miniature de la modernité réduite à sa plus simple complexité : une femme raconte sa propre histoire à travers celle d'une autre.

1 blinded
2 deposits

Quelle est l'histoire ? m'avait demandé ma mère. Elle avait à peine posé la question, faisant mine d'être intéressée pour m'être agréable mais indifférente au fond, prête à revenir aux récits ordinaires de la vie, plus anecdotiques, plus parlants, plus vivants pour elle, une cousine morte, une amie malade, un enfant qui risquait de l'être, elle avait à peine posé la question que le vide s'était installé dans mon esprit, un brouillard, une méconnaissance, et alors que tout était clair, évident, tout est devenu brutalement inconsistant dans la réverbération effrayante des bruits environnants tandis qu'elle tournait machinalement sa petite cuillère dans sa tasse de café presque vide en attendant un récit. C'est l'histoire d'une femme seule. Ah. L'histoire d'une femme. Oui ? L'histoire d'une femme qui a perdu quelque chose d'important et ne sait pas bien quoi, des enfants, un mari, sa vie, autre chose peut-être encore mais on ne sait pas quoi, une femme qui se sépare de son mari, de ses enfants, qui rompt mais sans violence, sans préméditation, sans désir peut-être même de rompre. Et ? Et rien. Pas de péripéties ? Pas vraiment, enfin si : elle rencontre un homme, le suit, s'attache à lui alors qu'il la maltraite, peut-être parce qu'il la maltraite, on ne sait pas, en tout cas elle reste, elle est là, elle reste. Bon. Il prépare un casse dans une banque, l'acolyte prévu pour le coup fait faux bond, et il l'oblige, elle, à le remplacer — mais ce n'est pas la question. Le coup foiré, il meurt — mais ce n'est pas la question. Le silence s'est installé entre nous. J'ai attendu qu'elle me demande quelle était la question mais elle ne l'a pas fait.

Quelqu'un qui a bien connu Barbara Loden me dit : *She said it is easy to be avant-garde but it is really difficult to tell a simple story well.* Elle disait qu'il est facile d'être d'avant-garde mais qu'il est vraiment difficile de bien raconter une histoire simple.

L'horizon est bouché jusqu'au ciel et les camions manœuvrent entre les terrils. Wanda se rend au tribunal. On ne l'apprendra que plus tard. On croise une lourde voiture américaine qui roule mollement dans la poussière. C'est le mari et les enfants, ils y vont de leur côté — mais on ne le saura que plus tard. Elle marche dans les tourbières en pantalon clair, chemisier à semis de fleurs, ses gros bigoudis sous un foulard blanc, son sac en vinyle à la main. Un vieil homme courbé sur la pente d'un tas noir ramasse des bouts de charbon. *Picking coal again ? — Yes, picking coal again, Wanda.* Il dit ça d'une vieille voix lente, mal timbrée, bienveillante. Il descend la pente en vacillant sur les gros morceaux de charbon. Elle lui demande un peu d'argent. Il s'assoit, souffle, sort maladroitement quelques

16

billets de ses grandes mains sèches et les lui donne, *tout ce que je peux faire pour toi, je le fais.*

Tout en racontant, je pensais à Georges Perec : « Au début, on ne peut qu'essayer de nommer les choses, une à une, platement, les énumérer, les dénombrer, de la manière la plus banale possible, de la manière la plus précise possible, en essayant de ne rien oublier. »

Barbara Loden est née en 1932, six ans après Marilyn Monroe, deux ans avant ma mère, la même année qu'Elizabeth Taylor, Delphine Seyrig et Sylvia Plath. Elle a trente-huit ans lorsqu'elle réalise et interprète *Wanda* en 1970. Elle fut la seconde femme d'Elia Kazan. Elle a joué dans *Le Fleuve sauvage* et dans *La Fièvre dans le sang*. Elle devait jouer dans *The Swimmer* avec Burt Lancaster, mais ce fut Janice Rule qui eut le rôle. Elle devait jouer dans *L'Arrangement* avec Kirk Douglas, mais ce fut Faye Dunaway qui eut le rôle. Elle est morte à quarante-huit ans d'un cancer généralisé. *Wanda* est son premier et son dernier film. Quoi d'autre ? Comment la décrire, comment oser décrire quelqu'un qu'on ne connaît pas ? On lit des témoignages, on regarde des images, on s'approprie un visage inconnu, on le tire un instant de l'oubli. Je retrouve la description de Swinburne par Sebald, je feuillette très vite pour trouver la page : « De taille fort petite, très en retard sur la normale à chaque stade de son développement, et d'une stature extrêmement frêle, il avait déjà, bien avant d'atteindre l'âge adulte, une tête incroyablement grosse, pour ne pas dire surdimensionnée, reposant sur des épaules étroites qui tombaient à pic à partir de la base du cou » ; la description d'Emily Dickinson rapportée par une jeune étudiante en lettres modernes : « Elle avait les cheveux bruns et des yeux gris qui parfois, même quand elle ne regardait personne, rayonnaient sans que l'expression de son visage se modifiât. » ; celle de Pierre Michon parlant de Mme Hanska lorsqu'elle rencontre Balzac : « Elle est hautaine et lascive. Elle a le râle au bord des lèvres. Elle porte une robe de velours pensée. » J'entends la voix de Jean-Luc Godard dans *Deux ou trois choses que je sais d'elle* : « Elle, c'est Marina Vlady, elle habite ici, elle porte un chandail bleu nuit, ses cheveux sont brun clair, maintenant elle tourne la tête à droite mais ça n'a pas d'importance. » J'essaie de nommer les choses une à une, platement : elle, c'est Barbara Loden, elle est blonde, ses cheveux sont longs avec une frange, son visage est large, ses pommettes, hautes, son nez, rond, ses yeux, verts mais certains jours noirs — et aussi : mince, déliée, poitrine menue, jambes longues, bottes et minijupe, une fille des années 1960. Pour se défendre, elle sourit souvent. Son regard est attentif, anxieux, souvent désemparé, puis soudain le sourire, éclatant. Elle est sincère, mais sans le vouloir elle fait souvent croire le contraire. Elle porte un petit top couleur souci.

C'est si difficile de raconter simplement une histoire ? demande encore ma mère. Il faut rester calme, ralentir et baisser la voix : qu'est-ce que ça veut dire « raconter simplement une histoire » ? Elle parle de péripéties, elle cite *Anna Karenine*, *Les Illusions perdues* ou *Madame Bovary*, elle dit que ça veut dire un début, un milieu et une fin, surtout une fin.

On croit n'avoir affaire qu'à de pures formalités, notes de bas de page, notices ou notules, tables, préambules, index ou annexes — profusion tranquille et organisée de mots qu'il suffit un matin d'assembler en quelques phrases, simple administration de la langue —, et puis on se retrouve devant un monde de décisions à prendre, d'élans abandonnés, d'hypothèses effondrées. Je ne devais écrire qu'une notice, mais il fallait pourtant commencer par le commencement et procéder avec méthode pour parvenir sans trop d'encombre à la fin. Notice, ai-je lu, texte bref destiné à présenter sommairement un sujet particulier. Notice, texte descriptif et explicatif. Il suffisait de présenter l'auteur et son œuvre, Barbara et *Wanda*. Chaque matin, je m'attaquais à la notice en essayant d'éviter les arrière-pensées.

Wanda est sur le parking du tribunal, les bras croisés, le sac à main tenu par l'anse dans le coude ramené contre elle, le visage inquiet sous les bigoudis. À l'intérieur, tout le monde attend, la famille, le juge et le greffier. Lorsqu'elle entre, on sait déjà tout d'elle, le mari s'est lâché, on sait qu'il doit se préparer son petit déjeuner tout seul, qu'elle se fout de tout, ne s'occupe pas de la maison, ne s'occupe pas des gosses, les laisse à l'abandon, passe ses journées sur le canapé. Pendant qu'il parle, elle entre au fond, hésitante, la démarche incertaine. Elle fume. Une voix d'homme s'élève pour lui demander de ne pas fumer. Elle écrase sa cigarette, pousse le battant, pas un regard sur les enfants, sur la jeune femme qui s'en occupe, sur les parents. Elle se place près du mari. Ils sont debout, côte à côte, s'évitent, gênés, encombrés de cette chose morne et incompréhensible entre eux qui n'est même pas un souvenir. Le juge lui pose des questions. Est-il vrai qu'elle a abandonné son mari, ses enfants ? Elle garde les yeux baissés, elle est presque transparente sous ses énormes bigoudis. Tout l'effort de Wanda paraît dans les bigoudis : son désir de faire comme les autres, sa soumission aux règles du jeu, à la loi de la séduction, être blonde, être sexy, mettre des bigoudis. Mais de cet effort elle ne fait rien, elle n'utilise pas l'effet recherché, elle s'en tient à l'affichage de la soumission, elle arbore un signe qu'elle déserte aussitôt. On ne verra jamais les boucles blondes de Wanda, jamais Wanda n'apparaîtra les cheveux soigneusement roulés en épaisses boucles blondes («l'exubérance maîtrisée de la blondeur est celle d'un sexe dompté mais toujours impatient», dit Norman Mailer; «ainsi vous serez comme un ange», disent les magazines de l'époque). Wanda au tribunal en bigoudis, c'est une hors-la-loi à force d'appliquer la loi. Monsieur le juge, s'il veut le divorce, donnez-le-lui. *Just give it to him.*

Quand on demandait à Barbara Loden pourquoi elle avait joué le rôle elle-même, car il aurait été quand même plus facile pour son premier film de travailler avec une actrice qui aurait interprété Wanda, il aurait été plus simple, pour un premier film, de se concentrer uniquement sur la mise en scène plutôt que ces allers et retours éreintants entre les deux côtés de la caméra, ces consignes à donner, ces décisions à prendre, ce souci permanent, Barbara répondait, presque désolée, comme s'excusant, qu'elle seule pouvait le faire, qu'elle était la meilleure pour ça. *I was the best for it.*

21

Il est 12 h 50. Les femmes sont concentrées. Plus les gestes sont rapides et précis, plus les visages sont absents. Dans le vrombissement discontinu des machines à coudre professionnelles, on passe de l'une à l'autre, on voit une grosse brunette qui retourne une manche, la fait pivoter, la replace d'un geste bref sous l'aiguille, on voit la cadence des pieds autour de la machine, le ballet simple et exact des pieds répété 8 400 fois par jour, on fixe une blonde aux grosses boucles rondes et régulières ramenées sur le sommet de la tête, sans doute ce que Wanda voudrait obtenir, on voit des femmes debout près des hautes tables, disparaissant presque entre les mannequins et les robes suspendues, tout l'affairement d'un atelier de confection. Wanda est debout contre la porte du petit bureau où le patron fait ses comptes. Il lui dit qu'il ne peut pas l'embaucher, non pas qu'il n'y ait pas de travail, il y a du travail, il la regarde bien en face, ses yeux grossis par les lunettes, l'air calme, il articule avec précision, il y a du travail, mais vous êtes trop lente, *you're just too slow*, dit-il, *you're just too slow for our sewing operations, that's it.* Elle le remercie. Il lui dit non, il refuse de lui donner ce qu'elle demande, elle le remercie et se retire. Derrière elle : le bruit de l'atelier, les filles qui causent, les machines, l'ordinaire de la vie.

Wanda entre dans un bar et s'assoit à une table en formica rouge dans un recoin de fenêtres. On ne sait pas dans quelle ville se passe la scène, mais dès qu'on voit ce recoin de fenêtres, la table en formica dans l'angle des rideaux aux plis épais qui sentent la cigarette et la bière, on sait que ce bar en Pennsylvanie est à l'à-pic exact du malheur, pas un malheur plein d'emphase, pas un malheur grandiose agrafé à l'Histoire, non, un malheur fade qui a l'odeur d'un tissu à carreaux pendu aux fenêtres d'un café de province. Le patron lui demande ce qu'elle veut boire. Cette femme n'a pas d'argent, ou si peu, elle n'a plus grand-chose, elle est seule, n'a rien et ne sait rien faire, elle commande une bière. Un client assis au comptoir la regarde et dit au patron qu'il prend la consommation pour lui. Elle s'assoit, laisse faire, pose un coude sur la table, met son front dans sa main, et on ne sait pas si elle fait ce geste pour elle-même — fatigue, désarroi — ou pour l'homme qui s'approche — signifier que ce n'est pas son genre d'accepter une bière d'un inconnu, parer au plus banal, au plus brutal. Une femme est assise très droite, elle a posé son sac à main, tout ce qu'elle a, sur la table, et elle pose simplement sa tête dans sa main. Par ce simple geste d'abandon et de ressaisissement douloureux, elle s'offre et se protège, elle demande grâce par avance.

Je m'essayais à toujours plus d'objectivité et de rigueur. Décrire, rien que décrire. L'état des choses saisi en de moindres mots. Barbara, Wanda. S'y tenir. Viser au général et à l'anodin. Mais j'avais beau m'appliquer chaque matin à la saine et bureaucratique impassibilité d'un rédacteur de notice, je me faisais toujours emporter par le sujet, effarée, effondrée de découvrir que tout avait commencé malgré moi et même sans moi dans le désordre et l'imperfection, l'inachèvement prévisible et l'incomplétude programmée. Heureusement, les premiers mots de la définition de l'article « Description » de l'Encyclopédie sont venus donner un peu de raison d'être au travail du matin. Description : « Définition imparfaite et peu exacte », et plus loin : « Les descriptions servent principalement à faire connaître les singuliers ou individus. Une description est donc proprement la réunion des accidents par lesquels une chose se distingue aisément d'une autre. » Il suffisait peut-être de se confier à l'imperfection, à l'individu et à l'accident.

Plus tard. Wanda dort en plein jour dans une chambre de motel, pelotonnée nue sous un drap, son sac en vinyle, ce sac trop gros et qui ne contient rien, suspendu comme une armure à un clou. Elle dort tandis que l'homme du bar s'affaire sans bruit, passe près du lit sur la pointe

24

des pieds, attrape furtivement ses chaussures, se replie, se délie, pirouette en silence avec dextérité dans le ballet muet d'une trahison de théâtre, voilà, il saisit sa valise, il va pouvoir déguerpir sans difficulté, dans quelques instants il filera insoucieux sur la route, mais il heurte un meuble, elle se réveille, *hey*, saute du lit (soudain, la fragilité de sa nudité), s'habille en hâte, *wait*, avec un geste pour se détourner non de lui mais de nous, de notre regard, un geste pudique et hâtif, *wait a minute*, il sort de la chambre, elle le poursuit, *wait !*, il fonce vers sa voiture garée devant la chambre, elle attrape son sac, court derrière lui tout en enfilant son chemisier, il démarre, elle parvient à la portière, l'ouvre, s'engouffre, ils partent. Quelques instants après la voiture s'arrête devant une buvette, sans doute lui a-t-il demandé d'acheter quelque chose à boire, elle a à peine le temps de commander un milk-shake qu'il démarre en trombe et la laisse sur le bord de la route.

J'apprends qu'à quinze ans Barbara Loden aurait pu être élue Miss Black Mountains, Miss Patriotic Bikini ou Princesse du Trou perdu, c'était le genre ; qu'elle-même disait de l'endroit où elle était née, la Caroline du Nord, que c'était un pays de bouseux ; qu'elle se tire de là en rejoignant le Science Circus de Robert Brown, elle y gagne 2 $ par représentation pour présenter, moyennant quelques acrobaties, de petites démonstrations de physique appliquée ; qu'à dix-sept ans, en 1949, elle arrive à New York ; qu'elle était plutôt dégourdie, l'habitude des hommes ; qu'elle a posé pour des romans-photos et des magazines féminins sous le nom de Candy Loden (on la voit en couverture de *Foto-Rama*, « Where to find a girl », dans la pose classique de la pin-up des années 1950, en maillot, la chevelure blonde opulente, les jambes repliées sous elle, les yeux fixés sur l'objectif, le sourire entendu bien qu'il soit assuré que cette entente-là soit précisément l'autre nom du malentendu — Marilyn avait la même pose, sans le maillot, sur les photographies prises par Tom Kelley pour un calendrier en 1949 : d'où vient la pose, en quel lointain boudoir néandertalien a-t-elle été inventée ? est-ce le façonnage sophistiqué d'un XIXe siècle qui a tant fabriqué d'objets à la mesure de l'homme ? un geste immémorial de séduction ou un long apprentissage ?) ; j'apprends qu'elle gagne un temps sa vie en dansant au Copacabana, le night-club en vogue — en 1950, dans *All About Eve*, George Sander présentait avec suavité la ravissante blonde pendue à son bras, c'était Marilyn Monroe, encore elle, forcément, dans l'un de ses premiers rôles, « Miss Casswell, disait-il en marquant une déférence exagérée, diplômée de l'École supérieure d'art dramatique du Copacabana, reçue *summa cum laude* » ; j'apprends qu'elle joue à Broadway dans *Compulsion* de

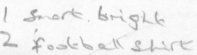
1 smart. bright
2 football shirt

Meyer Levin, on est en 1957, et en 1959 elle interprète le rôle d'une cocotte dans *Look After Lulu*, une adaptation d'*Occupe-toi d'Amélie*; qu'elle fait partie de l'Ernie Kovacs Show, le burlesque télévisuel (c'est elle, bien sûr, la toute petite femme miniaturisée par les effets spéciaux, le petit elfe, la femme rêvée qui sort de la pochette d'Ernie, danse sur son cigare et papote sur son épaule, enjouée, bien sûr enjouée; c'est elle, en bonne utilité sémillante, qui reçoit les tartes à la crème et les fléchettes de l'amuseur dans la figure; c'est elle aussi, la femme coupée en deux par la scie d'Ernie, enjouée toujours, rieuse — bien sûr); j'apprends qu'elle suit des cours de théâtre avec Paul Mann, un digne représentant de l'école stanislavskienne, et qu'elle prend des cours de danse, de diction, de chant; qu'elle rencontre Elia Kazan à vingt-cinq ans, il en a le double, il la suit dans les toilettes du studio d'enregistrement où il termine *Un homme dans la foule*, veut la baiser là, tout de suite, elle dit: « Pas si vite ! » et lui explique qu'une fille qui se respecte ne le fait jamais la première fois — mais la seconde, ça se discute (dans *À bout de souffle*, Belmondo l'a dit autrement: « Les femmes ne veulent jamais faire en huit secondes ce qu'elles veulent bien faire huit jours après ») ; j'apprends que Kazan n'a pas cessé de vouloir rompre avec elle, et qu'il l'a épousée en 1967.

Le 21 février 1971, Barbara dit au *Sunday News* :
« Je n'étais rien. Je n'avais pas d'amis. Pas de
talent. J'étais une ombre. Je n'avais rien appris à
l'école. Je savais à peine compter. Et je n'aimais
pas le cinéma, ça me faisait peur ces gens si par-
faits, ça me rendait encore plus insuffisante. » Et
un peu plus tard, au *Post* : « Je me cachais derrière
les portes. J'ai passé mon enfance cachée derrière le fourneau de ma grand-mère. J'étais très
isolée. » Et plus tard, à *Positif* : « J'ai traversé la vie
comme une autiste, persuadée que je ne valais
rien, incapable de savoir qui j'étais, allant de-ci
de-là, sans dignité. »

J'apprends aussi qu'elle aime *Voyage au bout de
la nuit* de Céline, et *Nana* de Zola, *À bout de
souffle* de Godard, les nouvelles de Maupassant et
les films d'Andy Warhol.

Alors Wanda tue le temps dans un centre
commercial, elle marche à pas lents, s'arrête
devant les vitrines, examine le corps des mannequins en plastique blanc posés entre de grands
bouquets de fleurs jaunes et orangées, les mains
évoquant gracieusement l'intention d'un geste,
le profil tourné vers une évidence partagée pendant que le temps passe en suintant contre la
vitrine ; elle se réfugie entièrement dans la description de ce qui se présente à elle : petite robe

unie sur collant opaque, tailleurs à carreaux, boutonnage croisé, frange blonde, étiquette du prix, chaque détail est plus chargé de matière et de sens qu'elle-même (trouver d'un coup sa vie enfin justifiée par l'énumération minutieuse et interminable de ce qui tombe sous le regard), tandis qu'au-delà l'espace résonne sous les alignements de tubes fluo. Puis on la retrouve en plein soleil, les pas ralentis encore, presque comptés, pour que le trajet dont on ne connaît pas la durée dure encore, pour ne pas l'épuiser trop vite, et parfois, quand elle croise un groupe d'hommes, elle sourit vaguement pour avoir l'air occupé, pour faire comme font les autres. Elle entre dans un cinéma pour une séance prise au hasard. Elle désire l'obscurité, une histoire d'amour, une assomption quelconque. Elle s'endort.

Délaissant la notice ou l'excédant malgré moi, j'ai cherché pendant plusieurs mois à reconstituer la vie de Barbara Loden, surtout dans ce moment où elle-même tentait, à partir de la vie d'une autre, d'inventer un personnage qui soit le plus proche d'elle-même. Wanda. Peu de choses étaient à ma disposition : quelques coupures de presse, quelques photographies, l'archive sonore d'un grand entretien réalisé en 1970 et publié cinq ans plus tard dans la revue *Positif*, les Mémoires de son mari, Elia Kazan, une émission américaine où elle est invitée par Yoko Ono et John Lennon. J'ai essayé de trouver son nom dans les index des histoires du cinéma américain, mais elle en est systématiquement absente. J'ai recherché les personnes qui l'avaient connue. J'ai voulu retrouver le script de *Wanda*, des lettres, la coupure de presse du fait divers dont elle s'était inspirée, mais les obstacles étaient nombreux : l'un ne répondait jamais au téléphone, l'autre demandait de l'argent pour accéder à ma demande, une autre refusait de me montrer les images qu'elle avait faites d'elle pendant la dernière année de sa vie, les services culturels avaient d'autres choses à faire, l'administration judiciaire ne permettait pas l'ouverture de leurs dossiers, la bibliothécaire du fonds Kazan était au regret de constater qu'il n'y avait rien concernant sa seconde femme dans leurs archives, les collaborateurs du film étaient morts ou ne voulaient plus en parler. J'allai voir Frederick Wiseman, l'inventeur du documentaire sans interviews, sans commentaires, l'inventeur du documentaire sans documentation, celui qui coule lentement sa caméra dans un milieu jusqu'à ce que tout le monde l'oublie, je lui racontai les difficultés qui se présentaient pour reconstituer la vie de Barbara Loden, et lui qui ne travaille jamais sur autre chose que sur ce qui existe m'a dit paisiblement : « Inventez, il suffit d'inventer. »

Je suis les deux personnages de *La Salamandre*, le film d'Alain Tanner. Un journaliste et un romancier partent à la recherche d'une femme inconnue qui vient de bénéficier d'un non-lieu pour tentative d'homicide. L'un dit : « C'est la réalité qui m'intéresse. Ce sont les choses. Il faut toucher ce qui peut être touché. Il faut d'abord faire une enquête. » Et l'autre, penché sur son Olivetti, dit : « Et n'oublie pas : sur elle, j'veux rien savoir. » J'hésite entre ne rien savoir et tout savoir, n'écrire qu'à la condition de tout ignorer ou n'écrire qu'à la condition de ne rien omettre.

Barbara dit qu'elle n'a rien à décrire de grand. Pas de vent de l'Histoire, rien des tumultes politiques, pas de drame social exemplaire. La pauvreté, sans doute, mais même pas la misère. La violence, oui, mais la violence légale, l'ordinaire brutalité des familles. Elle ne dit rien de plus. Son histoire, empêtrée, est sans doute simplement malheureuse du malheur ordinaire des enfants mal aimés, rendus passifs, soumis à plus fort qu'eux, si tristes qu'ils peinent à s'en remettre, son histoire est banale. Barbara ne fait des films que pour ça. Apaiser. Réparer les douleurs, traiter l'humiliation, traiter la peur. « Le caractère de Wanda est fondé sur ma propre vie et sur ma personnalité, et aussi sur ma propre manière de comprendre la vie des autres. Je crée chaque chose à partir de mes propres expériences. Tout ce que je fais, c'est moi. »

Dans un entretien, Marguerite Duras s'énerve un peu : « L'autoportrait, je ne comprends pas ce que ça veut dire. Non, je ne comprends pas. Comment voulez-vous que je me décrive ? Vous savez, la connaissance, c'est une chose difficile, une chose qu'il faudrait revoir, la connaissance de quelqu'un. Qui êtes-vous, allez-y, répondez-moi, hein ? »

Wanda ne pleure jamais. Si, une fois, beaucoup plus tard, devant le lavabo de la salle de bains d'une chambre d'hôtel. Elle pleure en répétant *I can't do this, I can't do this*. Et une autre fois peut-être, mais ça n'est pas sûr, lorsqu'on lui a volé dans l'obscurité du cinéma le peu d'argent qu'elle avait : la nuit est tombée, elle entre dans un bar et va directement dans les toilettes, elle se rafraîchit le visage avec de l'eau, longtemps, on ne sait pas alors si elle pleure. Lorsque je pleure, j'en fais trop, je suis submergée, incapable de me retenir, incapable même de le dissimuler. Les larmes sont peut-être la seule forme, mais monstrueuse, de mon impudeur. Seule, je me retrouve hurlant silencieusement devant un miroir comme si je voulais vérifier une hypothèse, je ne vois qu'un masque de pleurs immobilisé le temps du sanglot, un temps long, la bouche déformée, la symétrie parfaite figée en plis luisant de larmes, et le silence, la brutalité du silence de l'apnée imprimée sur la peau humide tandis qu'une voix demande qui est là sous cette peau défigurée. Je regarde. Je cherche en vain mon visage, celui, familier, qui ressemble à une pierre.

Durant les mois qui précédèrent sa mort, Barbara Loden consulta de nombreux médecins. L'un d'eux lui dit que son cancer venait de ce qu'elle ne pleurait pas assez. Il savait toucher certains points en elle qui la faisaient éclater en sanglots. Elle était bouleversée de cette réserve d'émotion, comme une vérité soudain révélée quoique son sens fût énigmatique. Semaines précieuses inutilement perdues dans les larmes pendant que la maladie gagnait.

Il y a des phrases nobles, des mots de longue haleine, des sentences sublimes et fatidiques proférées pour l'éternité, il y a des paroles simples et profondes, il y a des mots poussifs, erratiques, déformés, délirants, mais ceux de Barbara Loden, ses derniers mots, ont été les seuls qu'on puisse raisonnablement prononcer pour dire à la fois le refus et l'impuissance quand la mort est là, le dire sans formule, ni

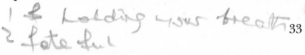

éructation ni tautologie — en mourant, elle a simplement dit : « Merde, Merde, Merde », elle a craché des petits cailloux — le foie, a dit l'infirmière —, et elle est morte.

Et sans doute, par un jour de vive lumière, un de ces jours immobiles et radieux, elle s'était tenue comme Clarissa Dalloway à quinze ans, « songeuse au milieu des légumes », espérant sous le ciel, observant les oiseaux dans l'air vif d'un glorieux matin de printemps, confondant ce court instant d'effusion avec la promesse du bonheur définitif.

On ne saura jamais d'où vient la blessure qui condamne Wanda à la désolation, on ne saura jamais quelle ancienne trahison ou quel abandon lointain l'ont plongée dans ce désarroi sans aspérités et sans partage, on ne saura pas non plus de quelle perte, de quelle absence, elle ne peut se consoler, on la prend comme on se prend soi-même, dans l'aveuglement et l'ignorance, et l'impossibilité de mettre un nom sur la tristesse d'exister. Son visage, le visage de Wanda, fermé, triste, obstiné.

Au journaliste qui lui demandait un jour : « Quelle est la meilleure formation de base pour

être écrivain ? », Ernest Hemingway répondit :
« Une enfance malheureuse. » Il devait ricaner
en se reservant un scotch.

Cap 3000 est situé entre Nice et Cagnes-sur-
Mer, sur la rive droite du Var, près de l'embou-
chure du fleuve. L'emplacement correspondait à
une vaste zone marécageuse en bord de mer, un
no man's land situé dans un endroit stratégique à
la croisée des voies de communication, tout
proche de l'aéroport Nice Côte d'Azur. À son
inauguration, le 21 octobre 1969, le centre
commercial, le plus grand centre commercial
français de l'époque, inspiré du modèle américain, se voulait ultramoderne, comme on disait
alors, « futuriste », « une œuvre de visionnaire »,
disait la presse. La première plaquette de promo-
tion du centre indiquait : « Cap 3000 est un centre
de vie où, dans une agréable ambiance, le rêve et
la détente se mêlent aux nécessités de la vie de
tous les jours. » Sur les dépliants d'époque, on voit
bien la piscine construite sur le toit et dont le fond
transparent permettait aux clients du centre
commercial de voir les baigneurs, on voit les
balancelles de couleurs vives, les larges allées éclai-
rées, les dallages, les verrières immenses, les luminaires et les accessoires. Ma mère m'a raconté
qu'en sortant du tribunal où la séparation d'avec
mon père venait d'être prononcée, elle m'a
raconté ce jour-là, le jour où nous regardions

35

Wanda sur le petit canapé de son salon, qu'elle avait, quittant le tribunal de Grasse, alors qu'elle venait de perdre, sous la violence de ce qui lui avait été infligé, toute coïncidence avec elle-même, ne désirant, pensait-elle, c'est ce qu'elle m'a dit, ne désirant qu'une seule chose : rentrer à la maison, retrouver ses enfants, elle m'a appris ce jour-là qu'elle avait erré des heures durant à Cap 3000 puis, la nuit tombée, sur le bord de mer jusqu'à Nice où elle avait vécu enfant, ne pensant rien, n'éprouvant rien, tombant, le temps passant, dans une tristesse mortelle.

Ma mère trouve étrange que je m'intéresse à ce film. Il ne se passe rien, dit-elle en remportant le plateau de notre dîner. Puis, de loin : Je me demande pourquoi tu as le goût des choses tristes.

À Cap 3000, elle a traîné pendant des heures, simplement traîné. De l'extérieur, dit-elle, je devais avoir l'air d'une femme de médecin qui fait du shopping, de l'extérieur on ne voit rien du plus profond désespoir — on ne voit rien sur le visage de Wanda quand elle erre en ville, on ne voit que l'attente, on ne voit qu'une femme qui tue le temps. Je lui demande si elle a rencontré quelqu'un. Non, pourquoi veux-tu, non, personne, rien de romanesque, pas d'histoire, justement rien, personne.

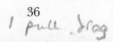

Il fait nuit maintenant. Wanda a marché toute la journée. Elle entre dans un bar, un homme dissimulé sous le comptoir se dresse, lui interdit aussitôt l'accès, *hey, we're closed*, contourne le bar, va à sa rencontre, l'empêche de poursuivre, *hey*, ils se heurtent, mais elle l'esquive, poursuit rapidement vers les toilettes, *just one moment*, et disparaît derrière nous — lui va et vient, nerveux, il attend qu'elle sorte, s'arrête brusquement, fait volte-face, regarde fixement vers nous, au-delà de nous, mince, l'air sévère, si anxieux qu'on ne peut pas savoir que c'est un bel homme aux traits réguliers, on ne le saura d'ailleurs jamais, trop tendu, trop nerveux, encore une fois il se retourne, fixe, arpente, revient — elle, dans les toilettes, immobilisée enfin dans le silence, elle se regarde dans le morceau de miroir ébréché au-dessus du lavabo, cherche le calme, voudrait sans doute rester là pour toujours, dans ce lieu minuscule qui l'enferme, la contraint, la protège — lui, comme un fou maintenant, le visage défiguré par la peur et la rage, blême d'angoisse — elle ouvre le robinet, se lave les mains et le visage, reste longuement le visage dans ses mains, sous l'eau — lui suffoque, se précipite, revient, lui crie de sortir — enfin, elle sort. Entre eux, dissimulé derrière le bar, le corps d'un homme allongé, assommé sans doute, ligoté, bâillonné. Wanda s'assoit sur un tabouret et demande une bière, une serviette, un peigne, elle fait la fille, se recoiffe, se plaint, picore des chips, raconte, *you know what*, qu'elle vient de se faire voler tout son argent. Lui est ailleurs, il essaie de forcer la caisse tandis que son esprit inquiet reste penché sur le corps du barman, mais il lui sert une bière, cherche une serviette, ne trouve que celle qui bâillonnait le corps étendu là, à ses pieds, lui donne son peigne, soulève un store, surveille, puis il éteint soudain la lumière, ordonne : *on y va* — à quoi elle répond : *voilà, merci.*

En février 1972, John et Yoko furent invités durant une semaine à présenter le Mike Douglas Show, *a day time television talk show*, une émission de divertissement créée en 1961 destinée aux ménagères de la classe moyenne. Chaque semaine, Mike Douglas invite une star qui assure la programmation des émissions. C'est Yoko qui a proposé d'accueillir Barbara Loden, « parce que j'ai de l'empathie pour elle ». Barbara fait son entrée, blonde, svelte, rayonnante, elle parle de son film, elle dit que Wanda ne sait pas ce qu'elle veut, mais qu'elle sait ce qu'elle ne veut pas, qu'elle tente de s'évader d'une existence très moche, *ugly type of existence*, mais qu'elle ne sait pas comment s'y prendre, qu'elle fait de son mieux, que la vie la dépasse, qu'elle ne sait rien faire, ne sait pas s'occuper des enfants, que la seule chose qu'elle puisse faire, c'est de partir.

« La vie est un mystère pour elle. » Un temps. Personne ne parle. Alors, le présentateur TV invite Yoko Ono à interpréter son dernier, « euh… comment dire, Yoko, votre dernier tube ? » « Oui, mon dernier tube. » On voit ensuite Barbara en train de taper du tambourin devant le Yoko Ono Band tandis que Yoko s'époumone en éructations postmodernes et que Lennon, ce vieil enfant attardé, narcissique et timoré, génie mis à genoux, adule sa muse en ployant sous sa guitare. Barbara joue consciencieusement son rôle de figurante, elle frappe le tambourin en rythme, elle oscille discrètement d'un pied sur l'autre.

Le restaurant est vide. Il regarde ailleurs en fumant son cigare pendant que Wanda mange. Il a repoussé son assiette, elle termine ses spaghettis à la tomate. Le patron range les chaises puis retourne à la cuisine. Ils restent seuls sur les banquettes en skaï saumon. Il la regarde en silence d'un air de reproche, *essuyez-vous la bouche*, elle s'essuie la bouche puis elle prend un morceau de pain, lui demande la permission de prendre un morceau de pain, le regarde encore, prend son élan et, tout en fixant son visage, tend le bras et plonge dans l'assiette de l'autre d'un air désinvolte, l'essuie avec une gourmandise exagérée, le fixe toujours, *that's the best part of life, don't you like that ? that part ?*, elle ne le quitte pas des yeux, elle l'interroge et il ne répond pas, elle le fixe encore, animant son visage d'inflexions joyeuses, tendres ou étonnées, elle fait comme si leur histoire existait.

Plus tard, dans l'obscurité d'une chambre, il est au centre du lit et lui tourne le dos, elle est allongée, nue, les bras croisés, au rebord du lit, recouverte par ce qui reste de drap, *Mr. Dennis, vous ne voulez pas connaître mon nom ?*

Plus tard, elle se redresse et lui passe douce-ment la main sur le front, alors il crie, et elle, blême : « Mais je voulais seulement être gen-tille. » Le silence retombe. Il est deux heures du matin, on sent l'épuisement, le manque de som-meil, mais surtout la fatigue de ne pas être aimée, ce goût amer de ne pas être aimée, elle se gratte le bras pour meubler, puis il l'oblige en pleine nuit à sortir acheter des hamburgers, *no garbage, no onions, no butter on the bun !,* la frappe quand elle revient, lui reproche de n'avoir pas rapporté ce qu'il voulait, etc. Rien entre eux qui puisse se reconnaître aisément : ni convoitise, ni ardeur, ni échange, nulle offrande. Dans la chambre d'hôtel aux murs verts et aux rideaux à fleurs, autour du lit défait par la chaleur et l'incompréhension, s'organise la scène banale de l'humiliation, de la soumission, de la dispari-tion sans bruit de soi dans l'autre.

L'homme que j'aimais m'avait reproché un jour ma passivité supposée avec d'autres. C'était dans la cuisine, au moment du petit déjeuner, il m'a dit avoir peur de cette façon propre aux femmes en général et à moi en particulier, pensait-il, de ne pas savoir ou ne pas vouloir s'opposer au désir encombrant des hommes, de se soumettre follement à leur demande. On dirait qu'il ne sait pas combien il est difficile de dire non, d'affronter la demande de l'autre et de la refuser — difficile et peut-être inutile. Pourquoi ne sait-il pas la nécessité parfois impérieuse de se couler dans le désir de l'autre pour mieux s'en échapper ?

Sylvia Plath écrit dans son Journal : « Je pourrais par exemple fermer les yeux, me boucher le nez et sauter aveuglément dans un homme, me laissant recouvrir par les eaux de son fleuve, jusqu'à ce que ses buts deviennent les miens, sa vie la mienne, etc. Un beau jour je remonterais à la surface en flottant, totalement noyée et ravie d'avoir trouvé ce nouveau moi sans moi. »

Ils partent — ou plutôt il part et elle le suit. Maintenant, la police est à leurs trousses. À voix

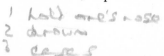

haute, Wanda lit dans le journal : *Police surrounds the couple* (ici, étrangement, Mr. Dennis sourit, mais à peine, comme une secrète satisfaction à ce mot). Ils roulent dans une Buick Skylark bleu métallisé volée. Elle continue à lire et s'inquiète à voix haute de ce qui va se passer, alors il s'arrête brutalement sur le bas-côté, se penche en travers d'elle, ouvre la portière et veut la flanquer hors de la voiture, elle se fige et dit avec détermination, *mais je n'ai rien fait !* et elle referme la porte sur eux. Il redémarre. Par la vitre arrière, la route glisse à reculons. Wanda regarde l'endroit d'où elle vient et dont elle s'éloigne sans pouvoir mettre aucun nom sur ce qu'elle laisse. On croit qu'ils roulent au hasard, mais ils se rendent quelque part — on ne le saura que plus tard —, ils tournent sur un cercle morne aux abords de quelque chose, rien de faramineusement américain, pas d'horizon fulgurant, pas d'horizon profilé vers quoi s'engouffrer dans l'oubli, pas de grand *trip* catatonique, *riders on the storm / riders on the storm*, pas de jointure incandescente du rêve, ils tournent en silence, lui, accroché au volant, raide, mécontent comme un père de famille ruiné qui médite un projet d'immolation collective à la prochaine aire de repos, elle, assise comme ma mère l'était aux côtés de mon père, droite et basse, aux aguets, se retenant de respirer dans l'attente du meurtre.

42

Lorsque, quelques semaines plus tard, près de Waterbury, Connecticut, je me suis retrouvée seule dans une chambre au design de motel des années 1960 miraculeusement préservé et qui, dans mon souvenir, intégrait en une seule ligne de bois plaqué aux formes harmonieuses les tables de nuit, le lit, une radio, la coiffeuse aux luminaires de verre dépoli qui encadraient le miroir, l'armoire et jusqu'à la porte qui donnait sur une salle de bains au carrelage vert d'eau, je me suis rappelé que c'est dans les chambres étrangères que nous pouvons saisir la sensation la plus juste parce que la plus égarée de notre existence, non pas dans la chambre familière, celle à laquelle j'aspirais à chaque instant de mon voyage — m'y retrouver enfin, m'y couler —, mais dans l'espace toujours réfractaire d'un lieu désaffecté qu'on ne parviendra pas à soumettre. Qu'est-ce que je venais faire ici ? Je voulais simplement recueillir quelques images, je voulais trouver les matériaux qui parlent de l'incertitude, de la soumission à ce qu'on croit être le désir de l'autre, de l'incapacité à dire non, à se fâcher, à refuser, de l'impossibilité à être désinvolte, du souci de bien faire, de l'attente et de l'hébétude, je voulais conjoindre mon présent et le passé de quelques sentiments vécus par d'autres. J'ai renversé le contenu de ma trousse de toilette toujours terriblement désordonnée et j'ai commencé à ranger les tubes, les pots, les crayons, les disposant un à un, n'ayant que cela à faire, rassurée par le lointain murmure d'une radio dans une chambre voisine, hésitant à les classer par genre, par taille ou par couleur, moi-même posée là, maintenant que je me regardais dans le miroir, comme l'ange de la mélancolie de Dürer contemplant dubitativement les instruments de son insuffisant savoir, ou plutôt comme cette femme peinte par Hopper, une femme seule assise sur le lit d'une chambre d'hôtel, penchée, un livre sur ses genoux, simplement penchée au-dessus du vide.

Un crayon à la main, je lis les Mémoires d'Elia Kazan et je relève mot pour mot ce qu'il dit de Barbara Loden : elle est sauvage, originale, insolente et persifleuse ; elle est fringante avec les hommes, intrépide dans la rue, et elle connaît les trucs qu'une fille de la campagne ne doit pas ignorer ; il y a en elle quelque chose d'inconvenant ; elle a un côté très provocant et assez dur ; elle donne le sentiment de n'avoir peur d'aucun homme ; elle a une grande difficulté de communication, sauf dans des moments de sentiment fort, passion ou rage, passion sexuelle, colère, quand les liens sont menacés, dit-il ; « elle me rend fou mais je la respecte parce qu'elle ne cache rien » ; elle dit : « Ne faites confiance à aucun homme, tout ce que vous avez c'est votre corps, faites les raquer s'ils veulent en profiter, ne cédez jamais totalement, si un homme vous blesse vengez-vous en sortant avec un autre » ;

44

elle est d'une extrême sensibilité ; elle est capable de casser la figure en pleine rue à un directeur de casting qui l'a calomniée ; d'une nature très dure, elle peut être cruelle ; elle est agressive, dure au mal ; elle voulait être indépendante, trouver sa propre voie.

Je cherche sous le visage égaré, dans le regard morne de Wanda, derrière cette façon bancale et désespérée de se tenir face aux autres, je cherche tout ce qui appartient aussi à Barbara.

À la revue *Madison Women's Media Collective*, 1971, qui l'interroge sur Wanda :
« *It's like showing myself in a way that I was.* » C'est comme me montrer moi-même comme j'étais.

Je me souviens de ma mère faisant des gestes absurdes, feints, traqués, dès que mon père était là. La panique qui marquait son visage. Et comme Wanda, cette fixité inquiète dans le regard, cette manière particulière de scruter le visage impassible de l'homme pour comprendre et anticiper.

Wanda est assise sur le capot de la voiture, ils boivent de la bière et du whisky, des chiens aboient. Le terrain le plus vague, le lieu le plus

aigri, le plus délaissé, peut parvenir à tromper l'effroi dans un dernier trucage, et il suffit d'un caillou sachant retenir la grâce immatérielle du couchant pour que la tristesse, l'ignorance et la déception s'apaisent provisoirement dans un dernier effet de lumière. Mr. Dennis vient derrière elle et pose sa veste sur ses épaules. *Sun's going down*, dit-elle, le soleil se couche, tout est calme, elle y croit, on peut parler normalement maintenant, on peut dire d'un ton doux : comme le crépuscule est beau, on peut se défaire de la méfiance, de la prudence, s'abandonner à l'instant qui ressemble pour une fois à l'idée qu'on se faisait de la vie. Il la regarde. La lumière appesantie et saturée du couchant sur elle. Il la regarde, la touche maladroitement, essaie de lui arranger les cheveux, lui reproche, bourru, d'être mal coiffée, de n'avoir rien à elle, pas même un chapeau ou un foulard, quelque chose. On comprend que c'est sa manière. Elle reste calme, elle dit qu'elle n'a rien, n'a jamais rien eu et n'aura jamais rien. Vous êtes stupide ! Elle dit oui, je suis stupide. Si vous ne voulez rien, vous n'aurez jamais rien, et quand on n'a rien, dit-il, on est zéro, mieux vaut être mort. Elle dit qu'elle est morte alors c'est sûr. Ça veut dire quoi, c'est ça que vous voulez être, morte ? Ils sont interrompus par le vrombissement d'un avion miniature qui tourne au-dessus d'eux comme un souvenir d'enfance, comme la fiction d'une menace ou d'un sauvetage. Mr. Dennis monte sur le toit de la voiture, regarde le ciel, crie en agitant les bras, il crie comme un désespéré, *revenez! revenez!* comme s'il fallait les sauver, les emporter loin de leur propre histoire, loin des peines et des aveux, loin d'un amour possible, le petit avion vrombit toujours, tourne et puis s'éloigne, emportant en grésillant les fantômes de Norman Dennis. Plus tard, ils ont trop bu. Norman Dennis dort sur le capot de la voiture. Il fait froid.

À table, dans un restaurant bruyant comme on n'en trouve qu'à New York, où tout semble fait pour se rencontrer et tout pour ne pas s'entendre, où l'impossible conversation est le signe de la réussite d'un échange, Jenny m'explique en hurlant que la question sexuelle et sociale est essentielle. À l'évidence, dit-elle, Barbara est comme toutes les femmes de notre génération, très clivée, c'est une pin-up d'un côté, celle qui parvient à séduire un géant, Kazan, et à le garder, difficile, le garder, très difficile, mais c'est aussi celle qui souffre de tout ce qui n'a pas été dit, qu'est-ce qui s'est passé avec Kazan? Quel arrangement, quel pacte? Barbara est déjà mariée avec un homme qui l'a formée en quelque sorte: cours de danse, cours de diction, cours de théâtre, et qui la présente un jour à Kazan, le tout-puissant, l'homme qui est incapable de résister à une jolie blonde bien troussée, avertie et insolente. Ça marche, bien sûr.

Kazan est fou d'elle. Il lui fait un enfant. Personne ne le sait, ça va faire des histoires, ça en fait. Je comprends mal, elle parle trop vite. Je regarde son visage anxieux. Elle mâchonne d'un air rêveur, *you know*, puis, fataliste : Barbara a d'abord été Candy Loden, c'est une pin-up, une fille de calendrier, une ambitieuse qui incarne tout ce que l'homme désire, peu importe quoi, l'essentiel c'est que ce soit triomphal et ironique, c'est fou ce que les hommes ont besoin que les femmes soient insolentes, sûres de leur jouissance, ça les rassure, ça les sauve un instant de leur désastre, pas droit à l'indécision ou au chagrin, et bien sûr ces filles ont fait exactement ce qu'il fallait pour gagner un peu de reconnaissance, peut-être un peu d'autonomie, mais Kazan n'a pas vu, n'a pas voulu voir, ce qui intéressait Barbara. La femme des années 1970, la fameuse, c'est une femme qui se demande ce qu'elle va bien pouvoir faire de ce que tout le monde appelle sa liberté, c'est une femme qui se demande quel est le mensonge qu'elle va devoir désormais inventer face aux hommes pour s'y dissimuler à son aise, pour qu'on lui foute enfin la paix.

Je cherche encore le visage de Barbara, je le cherche ailleurs que dans *Wanda*. Je la vois qui passe avec un sacré jeu de jambes sur une scène de show télévisé en assistante accorte de magicien burlesque ; ailleurs, elle essaye une nouvelle robe, elle tourbillonne en déshabillé avec un savoir-faire irréprochable, puis soudain, face à Warren Beatty, son visage devient triste, sa voix traînante, gonflée de larmes ; ailleurs, elle est employée des services du cadastre, elle est raide et énergique — chignon sage, grosses lunettes, chaussures plates, jupe ample de lainage vert, gilet campagnard, chemise boutonnée jusqu'en haut, manches retroussées au-dessus du coude —, elle regarde Montgomery Clift avec application, sa présence est intense, grave et comique à la fois (tant d'intensité, tant de volonté de bien faire, et si parfaitement inadéquates) ; et ailleurs encore, elle est rayonnante et désenchantée, elle court dans la nuit, labile sous les volutes de sa petite robe de soie, des hommes en costumes sombres la désirent et guettent le moment propice, elle titube de l'un à l'autre, le visage renversé, hagard, défait par la griserie et l'envie de mourir, elle les appelle et se dérobe dans la nuit, elle s'y enfonce, lumineuse, tressaillante, elle crie, elle ne veut plus, qu'a-t-elle jamais voulu, *leave me alone, leave me alone*, dit-elle dans un souffle.

Le *New York Times* du 12 décembre 1966 salue l'interprétation de Barbara Loden dans la production TV de *La Ménagerie de verre* : « Le gros plan sur le visage rayonnant de Mlle Loden

49

après que son partenaire a touché ses lèvres restera dans les mémoires comme l'incarnation même d'une beauté presque insupportable. Cette tendresse si touchante exprime alors toute l'agonie d'un cœur languissant pour un autre, et toute l'extase d'être enfin désirée. »

À quoi puis-je reconnaître ce qui me lie à Wanda ? Je n'ai pas erré sans domicile, je n'ai pas abandonné d'enfants, je n'ai jamais remis le cours de mon existence ou simplement celui de mes affaires à un homme, le cours le plus quotidien de ma vie je ne l'ai jamais confié à quiconque, me semble-t-il, j'ai abandonné des hommes, et parfois brutalement, avec la joie vibrante qu'on éprouve à bifurquer, à s'évanouir dans une foule, à sauter sans prévenir dans un train, à faire faux bond, le plaisir aigu et rare de se dérober, de se soustraire, de disparaître dans le paysage — mais pas celui de se soumettre. Quoique : il m'est arrivé, une fois, la seule, et suffisante, mais à qui cela n'est-il pas arrivé, de ne pas savoir dire non, de ne pas oser le dire, de céder sous la menace mortelle et de ne m'en tirer finalement que par la défection, l'inexistence, glisser au sol, cesser même d'offrir sa peur à l'autre, ne plus feindre, cesser de penser l'impensable, se protéger dans la sidération, et vomir, rendre soudain immonde le corps convoité, *leave me alone, leave me alone* ; mais il m'est arrivé surtout de me laisser faire, d'attendre que ça passe, de préférer le malentendu à l'affrontement — impossible dans ces moments de penser que la défense et illustration de mon corps puisse en valoir la peine, et d'ailleurs qu'est-ce que cela signifie « mon corps », à quinze ans, seul signifie : ne pas être seule, ne pas être abandonnée.

Dans *Le Désert rouge*, Giuliana s'égare sur un quai et dit à un marin : « Certains jours, les corps sont séparés. » Natalie, dans *The Rain People*, part seule sur la route : « I don't want to get away with you, I want to get away from you. » Dans *The Savage Eye*, Judith marche seule dans la ville : « Ne voir personne, ne parler à personne. » Dans *Sue perdue dans Manhattan*, Sue, le regard vide, dit : « Je ne suis pas très bonne en conversation, je ne communique que dans le sexe. » Dans *Jeanne Dielman*, Jeanne ne dit plus rien.

Les bigoudis, le sac à main. Le sac, ce gros sac incongru, est à lui seul un événement au contenu impénétrable. Tout a disparu dans la vie de Wanda, mais la nature morte immaculée du sac est là pour dire, preuve de la réalité à l'appui, que quelque chose subsiste même s'il n'y a rien dedans.

De stations-service en supermarchés, c'est une petite conjugalité qui s'organise, un assemblage de gestes dépareillés qui s'accordent silencieusement. La voiture est garée sur un parking toutes portières ouvertes, on dirait une maison, Wanda et Mr. Dennis y vaquent, faisant les gestes qu'il faut pour mettre un peu de familiarité dans l'inquiétude généralisée de leurs vies : ranger, mettre de l'ordre dans des sacs, transvaser le contenu d'un sac dans un autre, plier un vêtement, changer de chemise, changer de chaussures, déplacer, défroisser — tout tombe en morceaux mais ils s'affairent, s'oubliant dans l'insignifiance et la méticulosité de leurs gestes. Il lui a donné de l'argent pour se changer et elle a choisi une petite robe blanche toute droite, sans manches. Il a volé un costume d'homme sur la banquette arrière d'une voiture, elle enfile de nouvelles chaussures. Il change de cravate, elle est coiffée d'un bandeau de tulle piqué de grosses fleurs blanches. On croirait qu'ils s'apprêtent pour un mariage, mais soudain, *où est votre mari ? où sont les enfants ?* L'instant d'avant, elle avait soupiré de plaisir en enfilant sa petite robe blanche, croisant et décroisant ses jolies jambes bronzées, attendant sans doute qu'il la regarde, qu'il dise un mot, elle s'était crue dans une vie normale, en route pour le déjeuner du dimanche chez les beaux-parents, un beau jour d'été, ça ressemblait à un jour de déclaration. Maintenant, elle répète d'un ton rêveur, *les enfants ?*, elle bredouille qu'ils

52

sont mieux sans elle, *I'm just no good,* je suis nulle, je suis juste bonne à rien, elle le dit, le répète, essaie de s'en convaincre, s'en convainc, essaie d'en rire. *Just no good.* Wanda monte en voiture. Mr. Dennis referme la portière. Il la regarde d'un air préoccupé comme s'il était sur le seuil d'une chambre inconnue et obscure, il y a là quelqu'un, on le devine, on s'en inquiète, mais rien n'est sûr.

En février 1964, Barbara Loden a créé le rôle de Maggie dans la pièce d'Arthur Miller *After the Fall.* Chaque soir, c'est une victoire car elle sait que Kazan l'a imposée dans la distribution, et qu'il a, comme il le raconte, supplié Miller d'accepter qu'elle interprète le rôle. On n'aime pas beaucoup Barbara au Lincoln Center : on trouve que ses moyens sont limités, que son registre est étroit, le professeur de danse la trouve crispée et paresseuse, et sa voix criarde exaspère son professeur de diction. Mais Kazan dit aussi qu'elle est très forte pour jouer l'innocence d'une gamine de quinze ans, et que la colère libère son corps et enrichit sa voix d'inflexions inattendues. Il dit : c'est vrai, elle ne va que d'un point A à un point B, mais quand elle le fait, elle en explore toutes les possibilités. Elle est donc distribuée dans *After the Fall.* Bien que Miller s'en soit toujours défendu, chaque personnage de la pièce est un revenant de sa propre biographie, et tout New York est venu applaudir Barbara Loden qui interprète le rôle de Maggie directement inspiré de Marilyn Monroe dont Miller a divorcé en 1961 (un critique dit : « Aucun critique en ce monde — qu'il soit de Patagonie, d'Azerbaïdjan ou de Scarsdale — ne peut raisonnablement réfléchir au personnage sans penser d'abord à Marilyn Monroe »). La pièce raconte entre autres le malentendu essentiel de leur histoire — de l'avis général, c'est d'ailleurs ce que la pièce raconte le mieux. Barbara a mis une perruque courte et vaporeuse de blonde peroxydée. Elle est Marilyn. En bon maître de l'Actors Studio, Kazan sait ce qu'il fait : « Je savais qu'il y avait des traits communs entre elles, des drames de l'enfance, une blessure identique. » Elle est Marilyn, tout New York s'en émeut, cet abandon à un désir qui n'a pas de nom, cette ingénuité et cette ruse, cette manière de se dresser contre elle-même, d'être excessive et manquante, elle est Marilyn, elle fait la couverture du *Saturday Evening Post* de février 1964 et elle gagne un Tony Award.

« Si j'allais avec vous à Washington, je pourrais m'inscrire à l'hôtel sous le nom de Miss Néant.

— Néon ?

— Non, N-é-a-n-t, comme "Rien". *Miss None.* J'ai inventé ça une fois parce que je n'arrive jamais à me rappeler un faux nom, alors il suffit que je pense à rien, et c'est moi ! »

« I thought it was about me », a dit Barbara à un journaliste. « Quand j'ai lu le rôle, j'ai pensé :

oh, mais comment a-t-il su qui j'étais?» *Miss None.* Elle lui dira aussi: «Le rôle de Maggie a été une vraie catharsis pour moi. C'était si proche, comme une chose évidente, ça a été très thérapeutique.» «*After the Fall* was my destiny.» Une fois l'interviewer parti, Barbara est restée assise dans sa loge du Lincoln Center Repertory Theater, la masse luminescente de sa perruque blonde posée devant le miroir. Elle entendait les bruits du théâtre alentour, les allées et venues de l'habilleuse déposant les costumes dans les loges, le crissement des cintres sur les portants, un pas sonore s'éteignant soudain sur l'épais tapis des coulisses, une porte se refermant, des murmures, des petits rires s'estompant au loin. Le silence l'engourdissait délicieusement, elle pensait au commentaire que Mankiewicz avait fait sur Marilyn: «Elle restait seule. Ce n'était pas une solitaire. Elle était tout simplement seule.»

Je sais d'expérience qu'on accède à ceux qui sont morts en pénétrant dans un mausolée de papiers et d'objets, un lieu clos, comble et pourtant vide, et où l'on tient à peine debout. Qu'est-ce qu'on y trouve? Des boîtes, des restes, des simulacres dont les empilements suintent l'excès et l'inachèvement et, malgré de brefs triomphes, la défaite. Il faut y pénétrer l'air de rien, ne pas en rajouter, dissimuler toute satisfaction. On

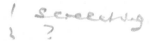

entre à reculons, on procède à tâtons, les mains fébriles, soulevant les épaisseurs, fouillant l'arriéré des blessures — mais ce qu'on cherche tient-il vraiment entre les deux feuillets d'un carnet rempli de noms ? « Il y a vingt-cinq boîtes d'archives, m'a dit le fils de Barbara Loden au téléphone, qu'est-ce que vous cherchez ? » Il interroge d'un ton cordial, le juste ton cordial de celui qui a décidé de ne vous donner accès à rien. Je rêve un instant que ce fils soit un peu le Andy Warhol de Mme Warhola et qu'il ait conservé comme Warhol dans la *Time Capsule 27* un petit recueil d'objets de sa mère. Le fils ouvrirait la boîte et me présenterait chaque objet, et son seul plaisir, désormais lassé de ces petites choses, lassé peut-être même du souvenir de sa mère, serait de me regarder regarder. « Qu'est-ce que vous cherchez ? » Il faudrait trouver un équilibre entre l'implication et le détachement, mais je n'ai pas le temps d'ajuster ma position. Je dis que je ne sais pas. Je ne peux pas lui dire que je cherche avec rage le journal intime de Barbara Loden. Je ne peux pas lui dire que ce qui m'intéresserait dans ce journal, s'il existait, ce ne serait pas le bonheur, l'élan, la joie ni la satisfaction, mais la plainte, l'impuissance, les listes absurdes, le non-lieu des sentiments. Quel autre secret que celui de l'inaccomplissement, qu'avons-nous d'autre à dissimuler soigneusement que notre insatisfaction ? Lui et moi, nous allons faire comme si nous ne savions rien, lui de ce que je demande, moi de ce qu'il refuse. Je répète, pour gagner un peu de temps, que non, vraiment, je ne sais pas. Il se tait. Il faudrait que je lui en impose. Sans doute cet homme-là ne veut pas que la chose qu'il possède lui soit demandée avec humilité, et sans doute ne veut-il pas non plus qu'elle lui soit demandée avec arrogance. Parfois, en rêve, je m'en tiens aux archives de fiction : trouver le petit cahier de velours jaune de *Braises* de Sandor Maraï, là où fut consignée la passion amoureuse d'une femme pour le meilleur ami de l'homme qu'elle avait épousé ; trouver la liasse de lettres d'amour serrées par un fil rouge dans *Effi Briest*, les lettres de l'amant qu'Effi n'aimait pas, ou pas tant que ça, mais qu'elle conservait pourtant dans sa boîte à couture (et une fois découvertes, ce fut la mort) ; trouver le papier vert plié que le fils Klingenfeldt de *Festen* tient dans sa poche au creux de sa main humide pour fêter l'anniversaire de son père, et qui contient « le discours de la vérité » qu'il lira devant les invités ; trouver les notes de mon père pour une conférence sur le pardon qu'on lui avait demandé de faire, à moins qu'il ne l'ait proposée lui-même, devant les membres du Rotary Club de la petite ville de province où il résidait. Ou le monceau de lettres que Bartleby, devenu employé de bureau au service des *dead letters*, classe avec lenteur : « Parfois du papier plié le pâle employé extrait un anneau — le doigt pour lequel il était fait est peut-être en train de se décomposer dans une tombe ; un

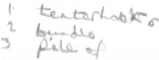

billet de banque expédié au plus vite par cha-
rité — celui à qui il aurait pu apporter le soulagement ne mange plus et n'a plus faim ; un pardon
pour ceux qui sont morts dans le désespoir ; une
espérance pour ceux qui sont morts sans
réconfort ; de bonnes nouvelles pour ceux qui
périrent submergés par des mésaventures sans
recours... *On errand of life, those letters speed to
death.* » À la mort de Barbara, dans sa chambre
devenue un capharnaüm, parmi les piles de
manuscrits, la documentation, les projets de scénarios, les vêtements en tas et les menus objets,
Kazan a découvert une vieille armoire de dentiste
dans laquelle étaient rangés des bandes magné-
tiques maintenues ensemble par des ficelles, des
paquets de carnets, son journal intime et une
lettre, une lettre morte, celle d'un homme que
Barbara aimait et qui lui écrivait qu'il ne l'aimait
pas. « Qu'est-ce que vous cherchez ? » me
demande-t-il encore.

Le collaborateur le plus proche de Barbara,
l'homme avec qui elle avait fait *Wanda*, avec qui
elle avait écrit d'autres scénarios, imaginé
d'autres films, rêvé une autre vie, m'écrit un
jour : *I don't want to talk to you. For me that film,
made 40 years ago, is no longer part of my life.* Je ne
veux pas vous parler. Je ne le veux pas. Pour moi,
ce film, réalisé il y a quarante ans, ne fait plus

partie de ma vie, vous entendez, je ne veux plus le savoir, ça ne fait plus partie de moi.

Je n'ai jamais pu avoir accès aux papiers qui m'auraient permis, documents en main, de retracer la vie de Barbara Loden. Ce que je cherchais, c'est finalement un roman qui m'a permis de l'approcher, et encore, de loin. En 1967, Kazan a publié *L'Arrangement,* un livre qui, dit-il, lui a procuré une très profonde satisfaction : « J'étais plus fier de ce livre que de mes films ou de mes pièces. » Pour le réalisateur de *Sur les quais,* de *La Fièvre dans le sang,* d'*America America, L'Arrangement* est « une sorte de libération ». On dirait aujourd'hui que c'est une autofiction. Kazan écrit ce texte après la mort de son père, après celle de sa première femme, Molly, et alors que Barbara l'a quitté parce qu'il ne voulait pas l'épouser. « Expression authentique de ma colère, de mon amour et de ma confusion, je me rendis compte que ce livre n'était rien d'autre qu'une recréation pure et simple de ma propre vie dans la fiction. » Mais, entre le moment de l'écriture et celui de la publication, Barbara et lui se sont retrouvés et ils se sont mariés. *L'Arrangement* sort l'année où il épouse Barbara. Vrai succès. Passons très vite : un jour, Eddy Anderson laisse brusquement tout tomber, il lâche sa carrière de publicitaire brillant, sa femme aimante et indulgente, sa luxueuse maison avec piscine. Il veut en finir avec le mensonge, avec l'arrangement agréablement fallacieux de sa vie, il veut trouver, dit-il, le sens de son existence. Mais il y a Gwen Hunt, sa maîtresse, une femme qui « avait tout… parfum, goût, toucher, pression, besoin, appétit dévorant, joie subtile, délicatesse de la main, une suite désespérée de sons et d'expressions si nues, évoquant le danger à venir — elle avait tout ». Le livre raconte le chemin très tortueux qui mène le héros à lui-même en passant par cette femme. Ralentissons. Bien que Kazan dise que « la vérité constitue la meilleure base pour la fiction », il n'y a aucune raison de prendre ce texte pour autre chose que ce qu'il est (un roman) ni de prendre Gwen pour celle qu'elle ne serait pas (Barbara). Il n'est pas non plus question d'aller chercher la vérité d'une femme dans le livre de son mari. De quel « arrangement » s'agit-il d'ailleurs vraiment ? On dit que Barbara Loden a vivement reproché à Kazan d'avoir indiscrètement exhibé son intimité non seulement à travers de nombreux traits de leur histoire commune aisément reconnaissables par leurs proches mais aussi en racontant son histoire personnelle. Il semble pourtant que la vraie trahison, ce ne fut pas que Kazan s'inspire d'elle et de leur histoire pour construire un personnage et une fiction, la vraie trahison ce fut qu'il ne puisse ou ne veuille l'imposer dans le rôle de Gwen lorsqu'il adapta *L'Arrangement* au cinéma en 1969, la production ayant choisi Faye

Dunaway, l'héroïne éblouissante de *Bonnie and Clyde* d'Arthur Penn en 1967, et on peut imaginer l'amertume de Barbara : un grand rôle lui échappait, une chance de reconnaissance, et ce rôle, son propre rôle, mis en scène dans l'écriture à son insu, était maintenant interprété par celle qui avait été sa doublure dans *After the Fall*, en 1964, l'ombre d'elle-même devenant soudain plus qu'elle-même. *L'Arrangement*. Certains proches de Barbara détestent ce livre. Ils hésitent entre le détester parce que c'est un roman et le détester parce que c'est la vérité, ils pensent que ce sont deux choses différentes. Lorsque Gwen parle de son enfance malheureuse, le père brutal, la mère passive, le viol incestueux par un oncle qui se glisse la nuit dans son lit, la fuite à la première occasion venue en rejoignant une petite troupe qui fait de l'animation commerciale dans les hypermarchés de la région, etc., tout cela fait exactement écho à ce que Kazan et d'autres ont raconté de Barbara, et à certaines choses que Barbara a dites d'elle-même. *I thought it was about me.*

Je revois le visage de Wanda dans la chambre d'hôtel, je revois son visage lorsqu'elle est devant le patron de l'atelier, quand il lui dit qu'elle est trop lente et qu'il ne veut pas d'elle, je revois son visage quand elle est laissée sur le bord de la route, ou quand Mr. Dennis se redresse soudain en hurlant, je revois ses yeux qui s'éteignent, son visage qui devient blême, les traits qui se figent autour de la bouche. Je ne sais pas comment une actrice peut avoir le visage si authentiquement blafard et défait dès que la caméra tourne. Il a bien fallu refaire certaines scènes, comment fait-on ? Humiliation ? Action ! Comment fait-on pour se croire humiliée — mais non, ce n'est pas une *croyance* —, comment fait-on pour *paraître* humiliée, ou, plus fou, pour l'*être* sans motif d'humiliation ? Est-ce un état, est-ce l'imitation d'un état ? Est-ce une chose aperçue, saisie en toute clarté ? ou extirpée, et presque malgré soi ? J'ai interrogé des actrices, la plupart m'ont dit qu'elles ne savaient pas, que ça se faisait tout seul ; l'une m'a parlé de « situation dramatique » et de « mémoire affective », elle a cité Jouvet et Stanislavski, comme un horizon théorique idéal, disait-elle, comme les traités qui vous apprennent à mourir, et puis après, hein, chacun pour soi ; l'une m'a dit : c'est très simple, on ne peut pas jouer quelque chose qu'on n'a pas éprouvé ; l'une m'a longuement parlé de ce que Lacan écrit de l'interprétation d'Hamlet, que l'acteur joue avec son inconscient, et elle disait finalement la même chose que les premières, celles qui disaient ne pas savoir (je ne sais pas, disaient-elles, je ne veux pas y penser, je veux continuer à faire ces gestes, à dire ces mots dans l'ignorance, dans la grâce de l'ignorance, je ne veux pas y penser pour ne pas risquer de le perdre — mais quoi ? perdre quoi ? justement, je ne veux pas le savoir, savoir le détruirait, je ne veux pas y penser pour ne pas risquer de le perdre, etc.) ; une autre enfin s'est levée, elle m'a dit que pour en parler il fallait parler d'autre chose, elle a regardé ailleurs, faisant comme si elle cherchait cette autre chose alors qu'à mon avis elle l'avait déjà trouvée, puis elle est allée prendre un livre dans sa bibliothèque, a trouvé d'un geste sûr la page désirée et m'a lu d'une belle voix grave : « Tout ce qu'on invente est vrai, sois-en sûre. La poésie est une chose aussi précise que la géométrie. L'induction vaut la déduction, et puis, arrivé à un certain point, on ne se trompe plus quant à tout ce qui est de l'âme. » Elle a tripoté le premier bouton de son gilet aux manches trop courtes : c'est ce que dit Flaubert à Louise Colet en août 1853, quand même plus intéressant que « Madame Bovary, c'est moi », vous ne trouvez pas ? Soudain, j'ai eu l'impression désagréable de m'être assoupie un court instant et de ne plus savoir de quoi on parlait ni qui d'elle ou de moi attendait la réponse à quelle question oubliée. Une vibration restait suspendue dans la pièce, la réverbération d'une phrase qu'elle avait lue : « L'idée et les mots me manquent, je n'ai que le sentiment. » Le dernier mot était inutilement appuyé, il pesait comme l'illusion d'un savoir entre nous, quelque chose de grotesque et d'un peu indécent qu'on aurait partagé.

Résumons. Une femme contrefait une autre écrite par elle-même à partir d'une autre (ça, on l'apprend plus tard), jouant autre chose qu'un simple rôle, jouant non pas son propre rôle, mais une projection de soi dans une autre interprétée par soi-même à partir d'une autre.

Sur le tournage d'*India Song*, Delphine Seyrig dit : « Le dénominateur commun que j'ai avec toutes les femmes, c'est d'être une actrice. Je pense que toutes les femmes sont obligées d'être des actrices. Les actrices font ce qu'on demande à toutes les femmes de faire. Nous le faisons plus à fond. » Barbara Loden, à travers Wanda, ne montre qu'une seule chose : une femme qui fait la femme à fond, non pas offerte, ni suave, ni fatale, ni ironique, puissante ou dangereuse, mais absente à elle-même, fuyante, ou cherchant à esquiver la contrainte, indifférente au mal, s'échappant, ou dissimulée, dissimulant sa peine et son refus, simulant pour s'échapper. Une femme à fond, une actrice. « J'étais une morte-vivante, dit Barbara dans un entretien avec Michel Ciment en 1975, j'ai mené, disons, une vie de morte-vivante pendant de longues années, jusqu'à ce que j'aie presque trente ans. » La figure pâle et silencieuse de Wanda est l'avatar qui lui permet de vivre. Arthur Miller disait du jeu de Marilyn : « Il émergeait en définitive

64

quelque chose de presque divin de cette déper-
sonnalisation. » Mais Barbara fait l'inverse, elle
sait qu'il n'y a que l'adhésion à soi, secrète, difficile, qui vaille et elle se constitue comme personne à travers Wanda. «J'ai été comme Wanda,
sans direction dans ma vie. J'étais anesthésiée,
injustifiée. Heureusement, Wanda n'était pas
un rôle difficile pour moi parce qu'elle est telle-
ment passive et que je me sens émotionnelle-
ment très proche d'elle. » « L'acteur est lié à son
personnage comme le cadavre à son cercueil »,
m'a dit aussi l'une des actrices.

Barbara Loden, *Post*, septembre 1971 :
« Well, I am *me* and I made it. That's all. » Bon,
je suis *moi*, et je l'ai fait. C'est tout.

Ce que je préfère : l'entretien des *Cahiers du
cinéma* avec Claude Chabrol et Isabelle Huppert.
Les Cahiers du cinéma — Quelles sont les étapes
d'ici le tournage ?
Chabrol. — Roupiller.
Huppert. — Dormir, pour s'absenter. Rentrer
en soi-même.
Et plus tard, elle dit : « Plus on est absent, plus
on a de chances d'être présent à la caméra. » Et
lui : «Je ne crois pas que l'art du comédien
consiste à sortir de soi-même, c'est plutôt le
contraire : y entrer plus profondément. » Et elle :

« Ce qui me semble important pour un acteur, c'est la passivité. »

Lors d'une conversation dans le salon d'un grand hôtel parisien, alors que Barbara Loden est morte déjà, Duras dit à Kazan : « *Wanda*, c'est un film sur quelqu'un. Est-ce que vous avez déjà fait un film sur quelqu'un ? Par quelqu'un, j'entends quelqu'un qu'on a isolé, qu'on a envisagé en lui-même, désincrusté de la conjoncture sociale dans laquelle on l'a trouvé. Je crois qu'il reste toujours quelque chose en soi, en vous, que la société n'a pas atteint, d'inviolable, d'impénétrable et de décisif. » Elle dit aussi : « Il y a une coïncidence immédiate et définitive entre Barbara Loden et Wanda. »

La lumière s'allume. Je revois le visage de Barbara. La lumière s'éteint. Wanda se penche sur l'homme allongé à ses côtés et le regarde. La lumière s'allume. Une femme abandonnée marche seule dans un centre commercial. La lumière s'éteint.

Mais la notice, l'écriture de la notice, c'est justement le refus de la coïncidence. Je vous en prie, faites-moi une notice, pas un autoportrait, m'a dit l'éditeur. Plus tard, en m'élançant sur la route du Connecticut et de la Pennsylvanie pour retrouver certains lieux de tournage, je me suis demandé si tous les rédacteurs de notices étaient aux prises, comme je l'étais moi-même, avec la coïncidence. Dans la notice, j'explique à l'éditeur que c'est tout *Wanda* et tout Barbara que je voudrais mettre — y mettre l'impossible vérité et l'objet indescriptible, y mettre une âme lucide et apeurée se dissimulant dans une autre, ajouter un éloge de la dérive sous un ciel blême de Pennsylvanie, sans oublier le grand jeu héroïco-comique du désastre intérieur. L'éditeur a retiré ses lunettes, soufflé plus longuement que nécessaire sur les verres pour en faire une buée méditative qu'il a essuyée avec soin. Il a paru soulagé quand je lui ai annoncé mon départ.

J'ai mis longtemps à trouver le nom de la femme qui avait servi de modèle à Wanda, la femme réelle dont l'histoire était relatée dans les journaux, celle qui avait manifesté tant de soulagement à l'annonce de sa lourde condamnation pour avoir accompagné un voleur de banque mort à la tâche. Il n'y avait aucun indice, aucune date pour cet événement (Barbara en parlait sans jamais donner ni le titre du journal ni la date). Était-ce en 1961 ou en 1966 ? Par hasard le 5 août 1962, le jour même où l'on découvrit Marilyn Monroe étendue morte sur son lit, ou le 21 février 1965, le jour même de l'assassinat de

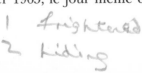

67

Malcolm X à Harlem ? Dans le New Jersey, dans le Connecticut, en Pennsylvanie ? Et dans quel journal ? Un entrefilet ou un reportage ? J'ai écrit une nouvelle fois au fils de Barbara Loden pour lui demander une copie de ce fait divers qui devait certainement se trouver dans ses archives. Il n'a pas répondu. Lorsque après de longues et fastidieuses recherches dans les journaux américains des années 1960, de toutes les années 1960, avec l'aide de mon amie Hélène, enquêteuse exceptionnelle, qui, par un hasard étrange, avait déjà eu l'occasion d'identifier le fait divers dont Marguerite Duras s'était inspirée pour écrire *Une aussi longue absence* tombant par une inadvertance proche du génie sur l'article parmi des milliers de pages du *Parisien libéré* en rembobinant un microfilm, lorsque après de longues recherches menées en sa compagnie nous avons enfin retrouvé le fait divers dans la rubrique « Justice Story » du *Sunday Daily News* du 27 mars 1960 intitulée « The Go-For-Broke Bank Robber », elle-même harassée par la masse des documents et découragée par l'immensité de la tâche décidant à la fin d'une épuisante journée de recherche de tirer au hasard un exemplaire de la volumineuse liasse que l'archiviste venait une fois de plus de déposer sur sa table, j'ai senti, dès son cri de victoire, que toute la griserie de la recherche tombait d'un coup. Une peine accablante m'a saisie dans le froissement exténué des pages et j'ai cessé instantanément de m'intéresser au sujet pour de nombreuses semaines, regrettant de m'être laissé emporter par le désir de retrouver l'origine de cette histoire. Ce que je voulais c'était une fin, non pas un nouveau début.

Il était entendu que, si ça échouait, il la tuait et se tuait ensuite. Plus tard, quand tout fut fini, lui mort, elle arrêtée, jugée enfin, elle a dit : « J'avais envie de vivre même si je n'avais pas beaucoup de raisons de vivre. » Il était entendu qu'il était plus facile d'échouer que de réussir, et sous entendu que le plus efficace, pour réussir, c'était d'échouer.

Sunday Daily News, 27 mars 1960 :
« LE BRAQUEUR DE BANQUE A JOUÉ GROS JEU. UNE BALLE A RÉGLÉ SON PROBLÈME. MAIS QU'EN EST-IL DE SA JOLIE COMPLICE ? Il était à peine 7 heures du matin, le 23 septembre 1959, et la famille Fox prenait son petit déjeuner, lorsqu'on sonna à la porte de leur maison de Cleveland. Surpris, Herbert Fox, cinquante et un ans, alla ouvrir tandis que ses deux filles, Marilyn, dix-huit ans, et Bonnie, dix ans, continuaient de manger. De la cuisine, sa femme, Loretta, cinquante et un ans, entendit une rumeur de voix : "Notre voiture est en panne... Pourrions-nous utiliser votre téléphone ?" demanda un petit homme blond à l'air décidé tandis qu'une femme plutôt grande, au

visage anxieux, apparaissait derrière son épaule. "Pourquoi — euh —" Mr. Fox hésita parce qu'il n'aimait pas la manière dont l'homme avait mis le pied dans la porte. Mais avant qu'il ait pu en dire plus, les deux étrangers étaient déjà entrés et le petit homme pointait son P. 45 sur lui. Fox se saisit de l'homme et se défendit sérieusement. Mais la femme sortit un petit pistolet automatique de son sac à main rouge et aboya : "Lâche-le." »

Tout ça, je le lis dans le journal. Je lis, comme si j'étais aux côtés de Barbara lorsqu'elle ouvre le journal du 27 mars 1960, je lis le récit de l'agression, la prise en otage du banquier à son domicile, l'attaque foireuse de la banque et la mort du petit voyou, un certain Ansley, je lis surtout que la véritable Wanda s'appelle Alma, Alma Malone de son vrai nom. Elle pourrait être la fille du *Malone* de Samuel Beckett, celui qui dit en commençant le livre : « Je serai quand même bientôt tout à fait mort. » « Je serai neutre et inerte. Cela sera facile. » Alma Malone est née à Abilene. Elle a le même âge que Barbara. Son père était ouvrier métallurgiste. Un père incestueux. Tout ça, je le lis dans le journal. Elle est mariée à quatorze ans — une charge en moins pour sa mère. Très vite, ce premier mari demande le divorce pour *désertion*, elle était là, Monsieur le juge, mais elle n'était pas là. « Je serai neutre et inerte. Cela sera facile. » Elle épouse ensuite un certain Malone. Nouveau divorce. Elle échoue à La Nouvelle-Orléans, dit le journal, et c'est là qu'elle rencontre Mr. Ansley. Pourquoi l'appelez-vous toujours Monsieur Ansley ? Par respect pour le mort, répond-elle. C'est ce que je lis dans le journal. Ansley a trente ans, il a déjà été condamné, a fait plusieurs séjours en prison. Avec lui, dit-elle, *I was kind of happy with things as they were.* J'étais heureuse, si on peut dire, avec les choses comme elles étaient. Une sorte de bonheur. Les choses comme elles sont. Le 23 septembre 1959, à l'heure du petit déjeuner, ils kidnappent Mr. Fox, le directeur de la banque. Elle est chargée de les suivre dans une voiture jusqu'à la banque, puis d'attendre Ansley dans la rue pour assurer leur fuite, mais elle se perd et n'arrive sur les lieux qu'après que tout a raté. La police la retrouve trois semaines après. Elle est accusée de vol à main armée, de kidnapping avec préméditation et d'effraction d'établissement financier. « *Malicious entry into a financial institution.* » Elle n'y a même pas mis les pieds. Elle est condamnée à vingt ans de prison au State Reformatory for Women, Marysville, Ohio. Il était entendu que, si ça échouait, il la tuait et se tuait ensuite. *I'm glad it's all over.* Je suis contente que tout soit fini.

Belmondo, dans *À bout de souffle*, quand il apprend que Patricia l'a trahi : « De toute façon,

j'ai envie d'aller en prison. Personne ne me par-
lera. Je regarderai les murs. »

Barbara Loden a raconté aux journalistes
qu'elle a mis longtemps à trouver le lieu où était
incarcérée l'héroïne du fait divers qui avait servi
de modèle à Wanda, celle dont elle ne donne
jamais le nom. Lorsqu'elle a appelé la prison,
elle a demandé à rencontrer Alma, mais la directrice a refusé tout contact, elle ne doit avoir de
contact avec personne, lui a-t-elle dit, et d'abord
pourquoi vous intéressez-vous à elle ? Barbara
Loden a raconté son projet et lui a dit qu'elle
pensait que ce serait intéressant d'écrire quelque
chose sur elle. Non, a dit la directrice de la prison, je ne pense pas que ce soit intéressant, je ne
pense pas qu'il faille s'intéresser à cette histoire,
ici, c'est moi qui donne un accord sur tout ce qui
se passe, et ça, je ne le permettrai pas.

Le State Reformatory for Women, Marysville,
Ohio, a été créé en 1916. 2 667 personnes y sont
aujourd'hui incarcérées, 470 employés y tra-
vaillent. L'établissement ne déplore aucune évasion en 2010. La directrice actuelle est très
aimable, elle consulte pour moi ses dossiers et
m'apprend qu'Alma H. Malone, entrée le 21 jan-
vier 1960, détenue sous le n° 7988, est sortie
le 8 avril 1970, libérée sur parole. Ensuite, tout le

monde perd sa trace. Elle avait trente-huit ans. Elle n'a jamais su qu'au même moment sa propre histoire était interprétée par Barbara à travers Wanda. Elle est sortie de prison. L'horizon était bouché jusqu'au ciel, les camions manœuvraient dans la poussière.

Pour éviter les trop nombreuses questions qui pourraient m'être posées sur la relation (aberrante selon certains) susceptible d'être établie entre la rédaction d'une simple notice et l'ampleur de mon enquête, j'explique à mes interlocuteurs que je mène des recherches documentaires pour le compte d'un écrivain qui rêve d'écrire un jour, s'il en a le temps, la biographie définitive sur le sujet.

Nous nous sommes retrouvés dans le hall de la Silas Bronson Library. C'est un jeune homme. Je n'aime pas les jeunes hommes, je n'aime pas leur fraîcheur, leur raideur ou leur grâce, leur pétulance spermatique, leurs mains d'enfant. Je regarde les jeunes hommes, je les regarde sous la ceinture, je les regarde très attentivement, je les détaille mais je ne les aime pas, on les fait rire facilement, c'est agréable, je fais rire celui-ci facilement, c'est agréable et ennuyeux, je ne voudrais pas mourir en compagnie d'un jeune homme. Il me fait un signe jovial dès mon

entrée et nous partons aussitôt. Il marche à grands pas et de temps en temps il regarde mes chaussures. Nous marchons le long d'interminables avenues vides de piétons. Des bus circulent, venant d'où nous venons, allant où nous allons. Sans que j'aie eu besoin de l'interroger, il m'explique l'histoire de la ville, de son vieux nom algonquin Mattatuck, devenue Waterbury en 1686 et surnommée the Brass City, la ville du laiton, célèbre pour ses boutons, ses montres et ses horloges, deuxième ville du comté de New Haven dans le Connecticut, c'est une ville, dit-il en pressant encore le pas, qui a quelques titres de gloire sur le plan culturel, c'est ici même, on ne le croirait pas, que le premier prix Nobel américain de littérature, Sinclair Lewis, fit des recherches pour un roman qu'il n'écrivit jamais, il accélère encore, mais il faut reconnaître que l'avenir de cette ville restera toujours lié à sa spécialité, le cuivre, le zinc et l'industrie des microtechnologies, les alliages à mémoire de forme et toutes ces choses-là, je tourne simplement la tête vers lui alors il détaille, l'alliage à mémoire de forme peut garder en mémoire une forme initiale et y retourner même après une déformation, il permet de passer d'une forme mémorisée à une autre, avec des allongements réversibles sans déformation permanente, je voudrais l'interroger sur les applications, mais il ajoute que les applications sont nombreuses, je pourrais vous citer, dit-il d'un trait, les

74

manchons d'accouplement Raychem sur les circuits hydrauliques des avions de combat F-14 dès 1967, ou maintenant la microtechnologie, les capteurs de température, les actionneurs électromagnétiques, mais pour le grand public, les alliages à mémoire de forme sont surtout connus pour leurs applications en chirurgie du cœur, vous voyez ce que je veux dire, et qui offrent des perspectives étonnantes pour nous tous, Waterbury devrait, il enfle volontairement la voix, le visage inachevé, juvénile et grave soudain tordu par un impératif de jouissance esthétique, faire dialoguer les sciences et les arts, et réunir en un seul concept synergétique son histoire et ses compétences. J'admire son esprit de synthèse. Waterbury est entouré de collines et nous montons depuis un moment comme si nous sortions de la ville. Nous nous sommes enfin arrêtés sur une petite aire récemment goudronnée qui surplombe la ville. Je suis soulagée de ne pas avoir à m'extasier. Tournant le dos à mon interlocuteur, je m'absorbe longuement et ostensiblement dans l'étude de la masse de briques et de béton qui s'étend là, crevée de soleil. Du fatras urbain qui se présente rien ne me fait signe, aucune reconnaissance possible, aucun plaisir à retrouver d'en haut ce dont j'aurais été familière en bas, et c'est presque par acquit de conscience que je cherche la Clock Tower et le Mattatuck Museum. Il attend poliment près de moi avec la patience magnanime d'un agent des pompes

75

funèbres, mais dès que nous nous remettons en marche, il poursuit avec un air de gaieté sagace : se souvenir de formes passées, c'est un peu ce que vous faites dans votre travail, non ? Nous bifurquons vers une avenue bordée d'arbres. L'ombre des pins trace de larges excavations au sol. Nous sommes arrivés au seuil de Holy Land.

Reprenons. Auparavant, il y a eu un silence, le temps qu'on prend pour mesurer une distance. *J'attends le retour de mon fils.* L'homme regarde Norman Dennis bien en face, mais il est incertain, sa voix tremble un peu, on entend dehors les grillons dans la campagne obscure. Wanda est entre eux, au fond, recroquevillée, censée dormir. *Tu n'as rien à faire, conduis c'est tout,* Norman Dennis a posé un revolver sur une caisse entre eux, c'est sans doute le type qui le lui a procuré, et maintenant il essaie de le convaincre. Ils se font face, une discussion entre hommes et chacun tente de dissimuler son incertitude à l'autre. Joe dit (son visage de vieux avant l'âge, sa parole hésitante, sa bonne voix d'ami conciliant) : *le peu que j'ai, je ne veux pas le perdre.* Il s'étonne lui-même de parvenir peu à peu, en répétant les mêmes phrases, *je ne veux prendre aucun risque, tu comprends,* en avançant lentement dans les phrases (attendre son fils, le protéger, ne pas prendre de risques), il s'étonne de parvenir à refuser l'offre de Norman Dennis, *j'attends*

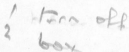

mon fils, je te dis, il le dit d'une voix très douce mais qui s'affermit peu à peu. Norman Dennis se lève et arpente le garage ouvert sur la nuit. L'autre se redresse, reprend son souffle, pose ses deux mains à plat sur ses genoux, *je ne peux pas le faire*, ça y est, il a réussi à dire ce qu'il voulait, Norman Dennis aurait dû rester en face de lui, ne pas le lâcher du regard, l'intimider, le tenir par la peur. *No, Norman, I can't do it, I cannot do it.* Joe boit un petit verre de whisky. La conversation est finie.

Mr. Dennis. Quand il rit, s'il rit, c'est silencieusement, par petits coups de glotte, sans éclats, et s'il aime, lorsqu'il aime, c'est à coups de gueule, avec l'obligation intérieure de réduire l'autre à rien, d'en rajouter dans l'humiliation. Il donne des ordres, *with me, no lipstick ! with me, no hair curlers !* Il ne parvient pas à cacher sa peur, il sait qu'il faut faire semblant, mais il a dû oublier, il oublie de dissimuler son regard traqué, il s'est habitué à la sueur.

Wanda et lui. Ils se regardent l'un l'autre, mais toujours l'un après l'autre. Ils ne se dévisagent (et alors avec quelle curiosité anxieuse) que lorsque l'autre regarde ailleurs — qu'il dorme ou fixe la route ou soit absorbé dans toute autre tâche, chacun est alors pendu au bord du visage

de l'autre, attendant qu'il donne des réponses, presque hébété devant son étrangeté.

Ils roulent. Wanda voix *off, Mr. Dennis, où on va ?* Lui, fixant la route, *pas de questions, quand on est avec moi, pas de questions.* Il la regarde. Coup d'œil raide. *Approchez-vous.* Elle s'approche. Il met sa main sèche sur sa cuisse nue.

Du pays miniature, il ne reste rien aujourd'hui que la croix en surplomb et quelques moignons de plâtre qui émergent des taillis. La végétation a recouvert la colline. Holy Land. On peine à croire qu'ici, dans les années 1970, les visiteurs se pressaient par milliers. Ils venaient en famille, circulaient parmi les réductions de temples, pique-niquaient entre les modèles réduits de mausolées, entre les arches, les statues et les ex-voto tandis que les haut-parleurs dissimulés dans les pins crachotaient par endroits une soupe de psaumes a cappella. Je demande en maugréant si ces ruines sont le reste d'un parc d'attractions thématique, d'une spécialité US en matière de mystique appliquée, d'une allégorie à fort potentiel grandiloquent sur le destin funeste de toute activité humaine. Le jeune homme rit. Il rit toujours. Il a fallu que nous nous glissions entre les grillages qui ferment théoriquement l'entrée pour nous retrouver, c'est ce que je voulais, c'est

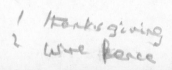

ce que je lui avais dit que je voulais, au beau milieu d'un très vieux rêve écroulé. N'apportez rien que vous ne puissiez remplacer, votre vie par exemple, disait la rumeur en ville. Fausse terre sainte pimpante transformée en no man's land périurbain. Maintenant, le jeune homme se campe au milieu d'une petite esplanade que je crois reconnaître. Il referme d'un geste machinal le bouton de son veston, se racle un peu la gorge et commence. L'inventeur en 1956 du Holy Land de Waterbury, je pourrais le laisser là, je pourrais descendre en contrebas, s'appelle John Greco, me risquer dans les allées excavées, entrer dans les trous, John Greco a bâti une nouvelle Bethléem avec l'aide de centaines de bénévoles, je pourrais visiter les anciennes grottes et je l'entendrais encore de loin, car John avait reçu l'appel d'un ange, j'entendrais de loin sa voix bien placée résonner fortement, qui lui avait donné l'ordre de construire un lieu saint ici même à Waterbury, je descendrais dans le boyau pestilentiel des catacombes à peine éclairé par les crevasses de la structure en ciment, et John apprit aux autres à bâtir des scènes de nativité, John était considéré comme un spécialiste des scènes de nativité, mais je reste à ses côtés, je me détourne un peu, j'attends, je regarde ce qui reste de Holy Land. Vieux décor grimaçant, vieille mimique biblique, pastiche d'une très ancienne fiction.

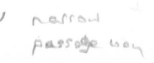

79

Juillet 1970. Wanda et Mr. Dennis entrent sur l'esplanade de Holy Land qui domine la ville. On voit au loin le dessin des autoroutes suspendues. On est surpris par l'étrangeté de l'endroit, les constructions maladroites, les massifs soigneux et mal symétriques, le sirop grésillant des chœurs enregistrés. On verra peu après les familles se pressant en foule colorée sous le ciel tendre, les oranges, les rouges, le jaune des petits pantalons d'enfants, le bleu électrique de la robe d'une matrone qui passe en diagonale, elle doit être morte aujourd'hui, tous ces corps déjà anciens, ces vieux usages, tous morts peut-être, même les enfants, ceux qui doivent avoir mon âge aujourd'hui, tel avec un petit pantalon rouge, une dizaine d'années, mon exact contemporain, tous attendent à l'entrée des catacombes après avoir circulé, cherchant on ne sait quoi dans les jardins, parmi les temples minuscules et les fausses tombes. Ils entrent sur l'esplanade vide. Mr. Dennis fait signe à Wanda de s'écarter. Il s'avance seul vers un vieil homme qui s'affaire au pied d'un échantillon du temple d'Hérode et se perd dans les couleurs de la pierre, penché sur quelque besogne, un muret à finir, des pierres à poser, des lettres à graver dans le plâtre, les finitions du mot GOD, par exemple, là au bas de la tour. Le vieux est penché, immobile, accomplissant au ralenti son œuvre bénévole, *hey pap !*, congratulations maladroites, mots ordinaires mais jamais dits, *c'est bon de te revoir*, gestes empruntés. Puis ils marchent, le fils soutenant le père, ils descendent à travers la terre sainte miniature et bancale, passent devant des pyramides, des stèles, des sentences bibliques, JE METTRAI L'HOSTILITÉ ENTRE TOI ET LA FEMME, ENTRE SA DESCENDANCE ET TA DESCENDANCE, le père marche mal, le fils l'entoure, chants, chœurs mystiques. Ils croient avoir des choses à se dire et s'installent sous un auvent placardé de nobles inscriptions, DONNEZ-NOUS AUJOURD'HUI NOTRE PAIN QUOTIDIEN, le temps s'est couvert, il fait gris pour la première fois, PARDONNEZ-NOUS NOS OFFENSES COMME NOUS PARDONNONS À CEUX QUI NOUS ONT OFFENSÉS, le père s'assoit, le fils est debout devant lui, pâle, épuisé par avance de la déception mutuelle, *t'as cherché du travail ? oui papa, t'en as trouvé un ? pas encore papa...* Et quand le fils lui donne de l'argent, liasses froissées sorties nerveusement d'une poche, le père refuse, *t'as fait des sottises, j'en veux pas de ton argent.* Le fils explique qu'il attend un boulot et qu'il reviendra dans une semaine. *Alors je t'aimerai à nouveau.* Sans doute ira-t-il ensuite maçonner tout seul quelque formule sur l'offense et le pardon au bas d'un muret.

Wanda descend dans l'obscurité. On distingue des objets épars, une gueule ouverte, une main,

81

ce qui ressemble à un bras, des chiffons, des visages émergeant de l'ombre, on ne comprend pas, puis on comprend, ce sont de faux restes, des poupées en morceaux, des masques en plastique, un corps de cellulose crucifié sur une croix dans un désordre d'objets synthétiques en vrac derrière des grilles. *Si vous voulez bien me suivre,* une voix les conduit à travers un goulet creusé en sous-sol, éclairé d'ampoules nues. Le guide bénévole explique qu'il y a ici des tombeaux, tombeaux de chrétiens, tombeaux de martyrs, *et nous savons que les martyrs sont des gens morts pour leur foi,* il les conduit à travers une quincaillerie mystique mêlée de gravats, un vrai bazar de la foi, vieilles annonces, « La Vie illustrée du Christ — du Berceau à la Croix », vieilles coupures de presse collées sous verre, publicités pour des miracles, sa voix est sûre, rassurante, *ici le tombeau de sainte Thecla, disciple de saint Paul,* son récit dégagé de tout souci de vraisemblance vient simplement indiquer que la vérité de ce qu'il raconte est si vraie qu'elle s'accommode d'être représentée en plastique, si vraie, si follement vraie, qu'il faut même impérativement qu'elle soit fausse pour être comprise. Wanda suit le groupe entassé dans le goulet, elle s'enfonce dans l'obscurité moite du sous-sol — d'elle, de Wanda Goronsky, on ne devine dans le noir que la masse blonde des cheveux et parfois, lorsqu'elle s'approche d'une ampoule, les grosses fleurs blanches en tissu de son large bandeau deviennent luminescentes.

On peut imaginer qu'elle trouve enfin un peu de calme dans ce trou sombre, elle se laisse conduire par la voix chaude qui ne cesse de donner un sens supérieur aux gestes et aux objets les plus insignifiants, elle est comme tout le monde, elle ne demande qu'à croire, elle appelle le soulagement de ses peines par la croyance en n'importe quelle croyance, comme la Félicité de Flaubert, ce cœur simple qui a besoin d'objets familiers pour apprivoiser ce qui est incompréhensible, et se représente le Saint-Esprit sous les traits de son cher perroquet empaillé.

On est resté à court d'idées pendant un moment. Puis le jeune homme a posé ses mains sur la table et il a dit d'un air décidé qu'il voulait échapper à la métaphore, à l'allégorie et à la métaphore. Il a regardé ses mains comme s'il allait bientôt s'appuyer dessus, se lever et partir, quitter brutalement la cafétéria du Musée Mattatuck de Waterbury, et peut-être tout quitter, l'écriture, la recherche, ses amis, les reliques, tout ce qui reste. Auparavant, il m'avait longuement parlé de son doctorat sur les lieux saints, les Holy Lands américains, c'était reposant d'entendre parler de sources, de structures et d'annexes. Maintenant, il essayait de lutter contre un affaissement intérieur, il était lassé de lui-même, ça le rendait enfin sympathique. Derrière lui, et sans doute derrière moi, de grands écrans de télé

diffusaient la retransmission d'un énième match de baseball. Il restait très concentré, regardant ses mains, secouant parfois la tête, disant qu'il lui était arrivé de penser que le Holy Land de Waterbury était une pure construction mélancolique, un projet qui avait intégré sa propre ruine dans son édification et témoignait ainsi du caractère fallacieux et dérisoire de nos entreprises, mais qu'il fallait se défendre de ces approximations, on dit toujours ça de n'importe quelle ruine, il préférait s'en tenir aux données socio-économiques parce que avec les métaphores, dit-il, de proche en proche on s'éloigne, est-ce que je savais par exemple que cette année-là, en 1970, les retombées financières de Holy Land avaient été plus importantes que celles de l'industrie du laiton, d'ailleurs tout montre que ce lieu très poétique pour certains, ou mystique comme on voudra, était une entreprise de marketing bien ficelée pour vendre le mirage du christianisme en pleine guerre froide. J'écoutais vaguement, je me demandais, et j'aurais voulu lui poser la question, comment il était possible de renvoyer une si petite balle avec un bâton, mais il semblait soucieux et il avait encore besoin de parler. Ses recherches sur Holy Land lui avaient permis de comprendre que les Américains haïssent le mensonge parce qu'ils sont eux-mêmes le sujet d'une fiction permanente. Il n'y a qu'à allumer la télévision, ici le réel est si distordu qu'on ne plaisante pas avec le vrai, dit-il, et le plus surprenant dans cette histoire de Holy Land, c'est de vouloir célébrer ce qu'ils appellent la vérité révélée avec de maladroites copies, des reconstitutions invraisemblables et monstrueusement difformes que les inventeurs de ce lieu, les John Greco et autres, faisaient passer avec un aplomb indécent pour la vérité vraie, ça, disait-il, je ne le comprends pas. Il avait l'air épuisé. Pour lui changer les idées, je lui ai demandé s'il fallait un long entraînement pour renvoyer une si petite balle avec un bâton.

Ce n'était qu'un répit dominical. Maintenant, on les retrouve à nouveau dans une chambre. Mr. Dennis bricole. Wanda entre. Elle est enceinte. Mais non, c'est faux, on verra que c'est faux, je le dis aussitôt à ma mère, ne t'inquiète pas, c'est faux, mais l'espace d'un instant on a imaginé une longue ellipse de temps, des mois se seraient écoulés, le calme serait venu, et peut-être l'amour. Wanda entre, elle est triste, embarrassée. Elle pose son gros sac à main blanc. Il lui tend une fiche. Il a noté toutes les étapes de l'opération pour qu'elle les apprenne par cœur. Son rôle, qu'elle l'apprenne. Elle dit tout de suite qu'elle ne peut pas. On ne sait pas précisément de quoi elle parle, *I can't do this*, mais on se rappelle que ce sont exactement les mots de l'ami qui avait refusé de participer au hold-up. Il lève les yeux, *come on*, il lui donne une bourrade dans le ventre. Non, je ne peux pas. Elle l'a dit,

85

elle se sent plus sûre d'elle, plus calme, elle retire le coussin qui lui sert de ventre. Il la regarde, et brutalement — ici ma mère sursaute — il l'attrape et la secoue violemment, *Vous pouvez le faire, vous pouvez, vous pouvez !* Elle s'échappe dans la salle de bains et referme la porte, *I can't do it.* Il est furieux, le visage déformé par la colère, puis inquiet, soudain immobile devant la porte fermée, et pour la première fois disant, jetant son nom, Wanda, Wanda, une interrogation sourde, anxieuse, c'est la première fois qu'il prononce son nom, *Wanda ? Wanda ?* Lorsqu'il ouvre la porte, elle pleure, peur de mal faire, *I can't do this*, peur d'échouer, *I can't do it*, peur d'en mourir.

Il se penche un peu vers elle qui fait face au miroir au-dessus du lavabo. Après tout ce type pourrait la forcer, il lui aboierait dessus et elle obéirait, il le sait. Mais il se penche vers elle, il se défait un instant de sa propre peur, il lui parle avec une étrange douceur, *écoutez-moi, Wanda*, il la prend par les épaules, *vous n'avez peut-être jamais rien fait auparavant*, il la regarde dans le miroir, *jamais rien peut-être*, il la prend contre lui, *mais ça, vous allez le faire*, comme s'il lui demandait d'accepter de vivre, *jamais rien peut-être, mais ça, oui.* On les voit maintenant tous les deux dans le miroir se faisant face. Il la tient gravement, tendrement contre lui, comme s'il la désignait à elle-même, et, dans ce geste, comme s'il se constituait lui-même. Ils sont immobiles et silencieux. On peut penser qu'il la manipule, qu'il emploie la douceur pour mieux la contraindre, mais c'est aussi autre chose. Cette fois-ci, ils sont deux. C'est peut-être la ruse de la contrainte, mais c'est peut-être aussi l'amour, on ne peut pas savoir.

Et d'ailleurs, la scène suivante, c'est l'histoire de deux amants en train de préparer un coup. Il fume un cigare, allongé torse nu sur le lit dans l'ombre de la chambre tandis qu'à l'arrière-plan elle se délasse dans un bain, cheveux relevés en chignon, blonde et dorée dans l'encadrement lumineux de la porte. Ils étudient le scénario qu'il a préparé pour l'attaque du lendemain. *Primo : atteindre la maison. Secundo : atteindre l'entrée.* Elle répète et se trompe, forcément, c'est trop bête ces deux phrases. Il la reprend, c'est son plan à lui, c'est lui qui dirige la scène, c'est ça qu'elle doit apprendre et elle est d'accord, elle fait de vrais efforts pour accompagner la folle bêtise de celui qui prête attention à elle, mais elle se trompe encore, elle sait bien que c'est trop bête et que ça va rater. *Tertio ? Euh…*

Il existe sans doute quelque part, dans un carton d'archives de l'administration judiciaire américaine, un petit bout de papier froissé que la police a découvert dans la poche de Mr. Ansley, l'homme avec qui Alma Malone était heureuse en quelque sorte. C'est la liste véridique, soigneusement rédigée par le braqueur soucieux de ne pas rater et désireux d'échouer, et que le *Sunday Daily News* du 27 mars 1960 publie intégralement : « 1. Aller jusqu'à la maison. 2. Aller jusqu'à la porte. 3. Neutraliser le couple. 4. Parler de la bombe. 5. Quitter la maison. 6. Garer la voiture à l'arrière. 7. Aller à la banque. 8. Neutraliser les verrous. 9. Attendre le portier. 10. Parler avec le portier. 11. Attendre le personnel. 12. Faire ouvrir la chambre forte. 13. Enfermer tout le monde dans les toilettes. 14. Mettre l'argent dans le sac. 15. Aller jusqu'à la voiture et partir. » Parenthèse burlesque : le braqueur arrive jusqu'à la maison mais ne se souvient plus qu'il est utile d'aller jusqu'à la porte, il consulte alors sa liste avec profit ; le braqueur appuie son revolver sur la tempe du guichetier mais il a oublié ce qu'il est venu faire — un coup d'œil à sa liste le sauve : ah oui, faire ouvrir la chambre forte ; le braqueur, des dollars plein les mains, va jusqu'à la voiture mais soudain, une hésitation, heureusement sur sa liste c'est écrit : partir.

Le lendemain, à l'aube, il faut y aller. Wanda vomit, elle ne veut pas, mais elle ne dit plus rien. Elle qui dérivait, qui laissait faire, elle se croit

88

maintenant tenue à l'impossible ; elle qui allait nulle part, elle est prête à aller au pire. *Ben, s'il faut y aller, allons-y alors.* Elle pleure, et lorsqu'il arme son flingue elle vomit encore. Wanda, son aptitude, la nôtre sans doute, notre folle capacité à craindre, à cesser de désirer et, sous couvert de consentir à l'amour, consentir à l'ennui et à l'amoindrissement, à la honte, consentir à la mort.

Dans la notice, l'instinct de perfection s'abîme. Je reste là, immobile, incapable de saisir la vérité de cette vie dans sa version standard, version la plus saturée et la plus désertée à la fois. Née. Morte. Au loin, un chien aboie, des camions manœuvrent, seule illusion de réalité, seule profondeur.

J'ai marché près de l'ancien chemin de fer, le long de la voie rapide, le long des hangars, j'ai pénétré sur les chantiers, « Entry Prohibited », j'ai cheminé entre les pans énormes coupés d'excavations, entre les dépressions pierreuses et les biais terreux. La Pennsylvanie est une vieille région minière, c'est là que les premières images de *Wanda* ont été tournées. On s'obstine parfois à vouloir substituer une image à la réalité, on veut épuiser les lieux, les vider une bonne fois de leur pouvoir, faire cesser ce léger tremblement de

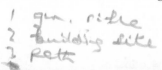

l'image à l'énoncé d'un nom, on cherche un air de ressemblance, on veut reconnaître un paysage à défaut d'un visage ou d'un souvenir. Je le cherchais, ce visage, ce souvenir, cet événement sans forme, je le cherchais sur les aires d'autoroutes, dans les motels, encore sur les routes trouées, souvent défoncées, autour des usines démantelées, des hangars désertés, des maisons effondrées — biens et gens si mal en point, tout terriblement abîmé, un pays entièrement maîtrisé et pourtant délaissé, comme à l'abandon, Harlington, Sommerville, Mount Cobb, Throop, McAdoo, Pottsville, Yostville, des forêts mortes, des arbres arrachés, la 81 bordée d'arbres morts, de pneus éclatés, d'animaux crevés, Hazleton, Lebanon, Lansford, la route encore, et soudain, dans le crépuscule, un Dunkin' Donuts rutilant, des gens attablés, de vieux corps énormes qui se détachent sur un fond de baies vitrées comme des titans blessés, des dieux d'après l'apocalypse, vieux corps s'empiffrant soigneusement, silencieusement. J'ai pensé à cette phrase entendue à la radio : « Les États-Unis, c'est l'autre nom du rêve. » Je cherchais les lieux de tournage des premières scènes, lorsqu'on voit Wanda sur fond de charbon. J'ai arpenté le pays minier aux abords de Scranton et de Wilkes-Barre, j'ai traversé Coaldale, Nanticoke, Red Ash, CarbonCity, toujours la même et unique rue principale, les mêmes minuscules maisons en bois, trois fauteuils, toujours trois, sous la véranda, voiture

90

garée devant, l'arrière-cour derrière et au-delà le paysage reconstitué qui se poursuit. Tout ça parce que les premières images de *Wanda* se passent dans ce pays de suie. À la radio, toute l'Amérique : Dieu, le blues et les assurances. Parfois, sans qu'on s'y attende, la route est brutalement surplombée par un versant noir où manœuvre là-haut, au rebord de la pente, une excavatrice dont on n'aperçoit par instants que l'énorme chenille ou le bras levé de la pelle. À Carbondale, je demande à l'une des serveuses du *diner* où je m'arrête un soir comment ça marche les mines. Elle bat en retraite vers la cuisine d'un air contrit, disparaît, et, comme au théâtre, une autre fait simultanément son entrée, vient droit à moi en s'essuyant les mains, offrant simplement de biais son visage jaune et souriant, m'invitant sans un mot à reprendre le fil de la conversation où je l'avais laissé. Elle est plus âgée, elle doit savoir. Sa fille travaille à la mine, dans les bureaux, au sud, près de Frackville. Elle s'assoit sur la banquette en face de moi pour m'expliquer d'un air appliqué que si les morts-terrains ne sont pas trop épais alors la mine est exploitée à ciel ouvert, elle parle lentement en faisant des gestes de la main pour accompagner sa description, on creuse, on déplace, on trie, on extirpe, parfois à la dynamite, on déplace encore, et chaque nouvelle couche de charbon, ce qu'on appelle une découverte, est largement mise au jour, fouillée, triée, déplacée, formant sur un immense

91

territoire détruit un paysage mobile, c'est ce que je comprends, qui ne cesse de se défaire ici pour se recomposer là, et une fois la découverte épuisée, on la recouvre des déchets qui avaient formé les remblais hauts et sombres, et on l'abandonne pour une autre. Je lui demande s'il arrive qu'il ne subsiste plus de traces des anciennes exploitations. Elle rit, et elle dit, elle crie presque, Heureusement !

Il y a le ciel. Sans oublier le fond de l'océan. Il y a le dessin des masses, roc, eau, vapeur. Il y a aussi le champ de pesanteur de la terre. Des lignes, des dimensions, une forme, un temps. Ce que les spécialistes appellent la figure de la terre. Je ne veux rien savoir de plus. Je me laisse guider. Ne rien savoir de la collusion organisée de toutes ces données transformées en ondes électromagnétiques qui viennent se fracasser mathématiquement dans le boîtier noir de la voiture de location pour ordonner ma route. J'ai coupé le son, je me confie à l'image, au ruban infini qui se déploie sur l'écran du GPS pour avancer dans ce pays inconnu. Pas d'obstacles, une merveilleuse et illusoire continuité, représentation parfaite de la bêtise, d'autres diraient représentation acceptable de la réalité. *The Magic Box*, m'avait dit le garagiste. J'ai entendu dire que le GPS est en train de modifier en profondeur la perception que nous avons de notre positionnement et de la manière dont nous allons d'un endroit à un autre. La notion même d'itinéraire deviendrait aujourd'hui problématique, certains, par extension, allant même jusqu'à être persuadés que tout est localisable, temps et sentiments compris. Il est de plus en plus difficile, semble-t-il, d'accepter de ne pas savoir où l'on est, et par voie de conséquence il est de plus en plus difficile de savoir où l'on est. L'usage des cartes, des légendes, le maniement des échelles, le sens de l'orientation et la représentation de soi dans le paysage, tout cela tient désormais à un seul trait fluide de couleur rose ou verte qui se dévide placidement dans le silence de ses erreurs inaperçues. Sur les derniers kilomètres, je coupe tout et je reste concentrée. C'est là. Ce pourrait être là.

Une fois de plus, ma mère dit qu'elle aurait aimé revoir Ganagobie, Aix-en-Provence et Neuvy-en-Mauges, elle le répète depuis des années mais je n'ai compris que peu à peu, trop lentement sans doute, qu'il ne fallait pas réveiller ces désirs-là, il faut les laisser profondément ensevelis, loin de toute capacité, de tout risque de réalisation, il faut prendre soin de leur impossibilité. J'ai tout fait pour que ma mère revoie Ganagobie, retrouve le berceau de sa famille ou retourne au Festival d'Aix, oubliant que je ne lui proposais ainsi que la seule réalité tandis que sa rêverie, sa douloureuse

rêverie, exigeait seulement de n'être jamais satis-
faite. Elle me demande pourquoi je suis allée aux
États-Unis, pourquoi es-tu allée si loin, et pour y
trouver quoi ? C'est une question sérieuse. Il faut
sans doute y répondre avec des mots ordinaires, et
que l'ordre des arguments traduise l'évidence de
la démarche, deux trois phrases pas plus. Nous ne
nous regardons pas, et les gestes que nous devons
accomplir pour préparer notre déjeuner nous per-
mettent heureusement de suspendre la conversation de manière aléatoire. Il faut que ce soit bref,
mais ça ne suffit pas, il faut que ce soit calme, des
mots ordinaires ne suffisent pas, ce qui compte
c'est la tonalité, l'amplitude, l'étirement, ce qui
compte c'est la lenteur, le continuum de l'expression, le détachement. Elle écosse les petits pois
sans me regarder. Tu voulais vérifier quelque
chose. Vérifier. Ce mot. Il faudrait que j'aie le
temps d'y penser. Je ne sais pas si elle veut, à travers
mon voyage, que je lui raconte ce qu'elle-même a
vécu pendant quelques heures dans un centre
commercial du bord de mer. Je ne sais pas si elle
veut des faits ou des sentiments. Une fois encore,
elle échafaude dans sa cuisine l'hypothèse ratée
d'avance d'un voyage à Ganagobie et une fois
encore elle conclut avec satisfaction : « J'aurais été
déçue. »

Vu de loin, sur Google Earth, c'est une trame
sèche, comme le squelette d'un animal ancien

pétrifié dans une roche sédimentaire. Un axe et des transversales. C'est tout ce qu'il reste de l'ancienne ville de Centralia. J'ai fait un détour. Je sais que le film n'a pas été tourné ici mais je veux voir la fameuse ville fantôme. J'entre dans le périmètre des restes, j'y entre avec tous les récits. En 1962, une veine de charbon a pris feu bêtement, un accident — une décharge qui aurait dû être recouverte d'argile et à quoi on avait pris, peu à peu, l'habitude de mettre le feu, plus rapide, plus simple. Le sous-sol de cette petite ville minière — filons de houille en réseau, l'une des mines les plus actives de la région — s'est soudain embrasé. Un feu généralisé a couru au fond, un brasier dissimulé sous la ville, et qui, lentement, insidieusement, a tout détruit mais par en dessous, emportant les jardins, engloutissant les voitures et parfois, dit-on, les enfants, une puissance effrayante enterrée, et dont l'affairement meurtrier venait saisir ici ou là, indifféremment, des maisons, un cimetière, une école. Un feu que l'on n'a jamais pu éteindre. Cinquante ans après, il brûle encore. On a déplacé les gens, on a démantelé les maisons, on a fermé les routes et construit d'autres routes plus loin, on a supprimé le code postal, on a fermé, enseveli, tenté d'oublier. *Welcome to Hell*, lit-on en arrivant. À CarbonCity, à Nanticoke, à Carbondale, je n'avais rien vu d'autre que l'évidente similitude des lieux avec les paysages du film, un air de famille irritant, j'avais vu les installations, les terrils, les camions qui se succèdent à toute allure dans la poussière, j'avais reconnu des contours, mais rien n'était sûr, tout avait bougé, l'image était floue. Mais à Centralia, l'image est truquée. Alentour : tout est pimpant, plus coquet qu'ailleurs, rien des failles bitumeuses, pas de paysages noircis ou noyés de fumées, rien de dévasté, aucune des péripéties infernales annoncées. Au centre : deux routes se croisent à l'orthogonale, l'ancien centre-ville est devenu un damier de bitume sans fonction, une simple épure du passé. Ce serait ça, l'enfer : l'effacement. Et dessous, le feu fait rage.

Reprenons. Mr. Anderson hésita parce qu'il n'aimait pas la manière dont l'homme avait mis le pied dans la porte, il n'aimait pas sa manière timide et péremptoire, une manière de raté, une manière de mains moites, il n'aimait pas. Mais avant qu'il ait pu prendre la décision qui s'imposait, une décision qui aurait conjugué humanisme et raison, et aurait consisté, malgré cet homme en peine et cette femme enceinte, malgré les préceptes de l'Évangile et la splendide prodigalité du jour naissant, à ne pas ouvrir sa porte, les deux inconnus étaient déjà entrés. Intérieur de résidence secondaire, pin verni *all over*, cheminée rustique. On entend dehors les rires des filles qui sortent d'un bain matinal dans le petit lac au bout du parc et qui remontent vers la maison en courant. Dans le fait divers,

Mr. Ansley avait menacé Mr. Fox. Dans le film, *idem*, Mr. Dennis pointe son P. 45 sur Anderson. Anderson, une forte carrure, un type à poigne. Tout va très vite. Profitant d'un moment d'inattention, Anderson se jette sur Mr. Dennis pour le désarmer. Le revolver tombe à terre. Rixe. Wanda s'interpose vivement, elle frappe Anderson, *lâchez-le !*, puis ramasse l'arme et le menace fermement, il lâche prise. Wanda est calme, autoritaire, elle prend la situation en main, sans elle, c'est clair, ils étaient cuits. Mrs Anderson surgit. Wanda lui ordonne d'aller sur le canapé. Mr. Dennis ramasse ses lunettes, retrouve ses esprits. Les filles entrent en riant. *Allez, sur le canapé !* Mr. Dennis reprend le contrôle, rajuste sa cravate et il regarde Wanda. Tout s'arrête. Il la regarde. Il la considère. Ça ne dure que quelques secondes (étonnement, admiration, connivence, désir, folle gaieté, peur absolue — un seul regard). Il la regarde. Puis tout reprend, sur un mode un peu clownesque, ce sont des amateurs, ils hésitent, ils se concertent à voix basse, Wanda, gênée soudain, se rappelle sans doute mentalement la liste des choses à faire, pose son sac à main, en sort une grosse ficelle, attache la femme et les filles au canapé, Mr. Dennis oblige Anderson à rester debout, dos à la scène, mains sur la nuque, puis il explique le mécanisme de la fausse bombe qu'il a fabriquée dans la chambre d'hôtel, *that is a real life bomb*, il la pose avec des précautions grandiloquentes sur

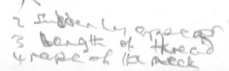

les genoux de la mère ligotée au canapé avec ses filles, *be careful,* etc., enfin ils sortent avec Anderson et montent dans les voitures pour aller dévaliser la banque.

Ils devraient partir sur les chapeaux de roues, dans un crissement nerveux de pneus, chaque geste soigneusement étudié, efficace, avec la désinvolture et l'insolence des voyous. Mais non. Avant de démarrer, Wanda, qui va conduire leur Buick et suivre l'autre, s'élance gauchement vers la voiture où Mr. Dennis se trouve déjà aux côtés d'Anderson assis au volant, elle se penche vers lui et demande à voix basse les clés qu'il a oublié de lui laisser (les clés : pas sur la liste). Et soudain, au beau milieu de l'action, alors qu'il faut être rapide et impitoyable, alors que la peur et le risque, le risque de mourir, et la peur de l'irréparable règnent, tout s'arrête encore, on ne voit que leurs visages — le cigare arrogant (on sait ce qu'il en est) de Mr. Dennis en contre-jour, et elle, penchée sur lui, son visage lumineux, abandonné. Mr. Dennis mâchonne un *you did good* à mi-voix, ils se regardent, et doucement, dans l'impudeur de l'aparté, *you are really something*, une onde de gratitude, la pulsation de l'assentiment vient battre entre leurs deux visages.

1 hub cap
2 screeching
3 casualness
4 bout
5 chew
6 wave

98

Il y aura encore un ou deux signes de reconnaissance — une confirmation. Wanda roule seule en voiture derrière lui, elle sourit, elle est paisible, lui se retourne, agite la main dans sa direction et, ce geste, cette main levée rapidement dans la lumière, ce seul geste en contrejour, un leurre sans doute, est pour elle, on le lit sur son visage, le signe d'une grâce.

« Je traversais en diagonale un grand champ d'herbes et mon chapeau de paille me cachait en partie la vue. Je n'embrassais que l'étendue verte devant moi ; j'avais l'impression de marcher indéfiniment, sans parvenir au bout. Je ne sais plus si j'avais peur ou si j'étais heureuse. » Pendant des années, alors qu'elle tentait de trouver le financement de *Wanda*, Barbara Loden a travaillé à un autre projet. Elle voulait adapter le grand roman d'un auteur du XIXe, Kate Chopin, qui, dit-on, a écrit le *Madame Bovary* de la littérature américaine. *L'Éveil*, qui avait pour titre initial *Une âme solitaire*, se déroule en Louisiane à la fin du siècle. Son héroïne, Edna, « laisse la maison aller à vau-l'eau », abandonne son mari, ses enfants, « bat le pavé toute seule, rêvasse dans les tramways », quitte la torpeur d'une vie confortable avec ses jeux de mousseline et d'ombrelles dans la langueur d'un été sans fin pour découvrir quelque chose qui n'appartient qu'à elle, quelque chose d'à la fois âpre et confondant : « Peut-être était-ce la première fois qu'elle était prête, la première fois que son être était disposé à se laisser pénétrer par une vérité essentielle », une vérité qui passe alors par l'amour, la rencontre avec l'autre et son échec, une vérité qui est l'épreuve déchirante de l'existence — sans ironie, sans ricanement, sans condescendance. Barbara Loden en a écrit le scénario pendant plusieurs semaines et n'a jamais réussi à réunir le financement. Je ne parviens pas à imaginer le film qu'elle aurait voulu en faire. Les costumes, l'atmosphère du bayou et de La Nouvelle-Orléans, les remous amortis d'une mondanité estivale fin de siècle, pourquoi pas ? Elle aurait certainement joué le rôle d'Edna (*I was the best for it*). Elle aurait filmé l'élan et l'imminence, la naissance du sentiment, le désintérêt pour la beauté, elle aurait filmé la beauté, et la froide obstination terrifiée, le froissement de l'eau sous la brasse, et l'aboiement d'un vieux chien enchaîné au sycomore. « Mais le commencement, celui d'un monde surtout, est forcément vague, embrouillé, chaotique, extrêmement troublant. Combien peu d'entre nous parviennent à émerger d'une telle genèse ! Combien d'âmes périssent dans ce tumulte ! »

Puis tout va très vite, Wanda, comme Alma, se trompe dans les rues de Scranton (*I goofed*, je me suis gourée, a dit simplement Alma devant le juge), elle se perd dans la ville et elle arrive trop

100

tard devant la banque, Mr. Dennis a déjà été tué par les flics. Sur la liste, il n'y avait pas de 11 *bis*. Désarmer l'alarme.

Relatant le fait divers de 1960, le *Sunday Daily News* rapporte que les agents James Gatter et Thomas McNamara qui patrouillaient dans le secteur furent appelés à se rendre sur les lieux. Ils sommèrent le braqueur de se rendre, *drop it, drop that gun.* C'est que je peux lire dans le journal. Il y eut des échanges de tirs. Lorsque les renforts arrivèrent sur place, le chef de la police Frank W. Storey lança gravement au porte-voix, *come out in 10 minutes or we're coming in — it's your funeral.* Gatter et McNamara ont raconté ensuite que c'était *just like a movie thriller.*

Une femme est dans la foule. Elle est seule parmi des gens inconnus appelés ici par la seule distraction, la curiosité du fait divers. Elle voudrait y aller, elle devrait y être, mais un cordon de police l'en empêche. Les sirènes s'estompent, les bruits de la rue autour d'elle se désagrègent — voix éparses, lointaines, le cours anodin de la vie, la foule ordinaire d'un jour d'été 1970 dans une petite ville américaine. Elle s'est perdue, elle est arrivée trop tard. Elle n'aura pas même eu le temps de l'appeler par son prénom. L'histoire pourrait s'arrêter là.

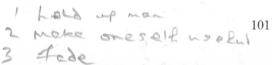

Il faudrait que vous rencontriez Mickey Mantle, m'avait dit Fred Wiseman au début de ma recherche, il a bien connu Barbara Loden lorsqu'elle dansait au Copacabana, vous devriez le rencontrer, on ne sait jamais. Je me renseigne : Mickey Mantle est le joueur de baseball des années 1950 le plus célèbre de l'équipe des Yankees de New York après Joe DiMaggio, en tout cas la frappe la plus puissante, une des icônes de l'Amérique populaire. Je me suis rendue à Scranton où il passait quelques jours et nous nous sommes retrouvés dans l'entrée du Houdini Museum qu'il vient régulièrement visiter, dit-il, parce qu'il règne ici, dans ce panthéon minable dédié au roi de l'évasion, un désordre salutaire autour d'une idée reposante, il prend une large inspiration, ici les choses s'en vont, il expire bruyamment, mais c'est ici qu'elles reviennent. Il rabat un peu plus la visière de sa casquette et s'assoit sur l'une des banquettes du vestibule de ce musée installé dans une minuscule bâtisse bancale du 1433 N. Main Avenue. Derrière nous, au-delà de ce qui sert de caisse, le Houdini Tour s'exhibe en quelques salles obscures et désordonnées, les fenêtres sont occultées, les murs recouverts de vieux documents, affiches, portraits, gravures, menus objets et reliques trafiquées, une scène, un rideau en lamé, des pompons, des festons, quelques chaises pliantes pour le show. *Do*

102

Spirits return ? L'esprit de Barbara reviendra-t-il ? me demande Mickey Mantle en clignant des yeux. Il est vieux. Il a dû être roux. Un sacré coureur. Il se lève pour se rendre à la machine à boissons et perd un peu l'équilibre, il est allé trop vite. Maintenant, il me parle debout, une canette de Sprite à la main, l'autre appuyée sur la machine. Il est petit, compact, concentré sur une douleur ancienne. Il dit : on l'oublie toujours mais Harry Houdini s'est adonné au spiritisme tardivement alors qu'il l'avait combattu toute sa vie, et il s'y est adonné avec passion dans l'espoir fou d'entrer en contact avec sa mère morte en 1913, à la même époque, je crois, votre Proust faisait la même chose avec l'écriture, non ? Je revois mentalement mes notes : Mickey Mantle, un héros des New York Yankees, une belle bête typiquement américaine, le visage régulier, les yeux un peu atones mais un sourire plein de fossettes, l'enfance pauvre, le travail à la mine dès douze ans, un batteur du tonnerre, célèbre pour ses 560 coups de circuit, le corps basculé en arrière puis projeté dans un swing accablant, buvant sec, aimant les filles, le foie crevé, une bonne brute made in USA — Mickey Mantle est en train de me parler de Marcel Proust. Il revient s'asseoir près de moi, étend une jambe en grimaçant, soupire et d'un air contraint me raconte qu'il s'est un peu intéressé à tout ça quand un éditeur lui a demandé d'écrire ses mémoires. Il a refusé d'être aidé, *as if someone had taken my bat,* et

1 expressionless
2 dimples
3 overbalance
4 oppressive

s'est retrouvé seul à sa table. Le pire, ce sont les mots, c'est la lenteur, dit-il en sirotant sa canette, la concentration qu'il faut pour trouver ce qui va ensemble, l'assemblage d'une seule phrase, je ne savais pas que former une phrase était si difficile, toutes les manières de la faire, même la plus simple, dès que c'est écrit, toutes les hésitations, tous les problèmes, comment décrire le trajet d'une balle ? j'y ai passé des heures, mes amis me disaient, vas-y, détends-toi, raconte les virées, les trophées, les histoires du club, les alliances, les rivalités, la folie en ville les jours de match, et toutes les filles que tu as eues, et ta maison, le respect pour ta femme et l'amour des gosses, mais moi je voulais décrire le trajet d'une balle, l'air, le froissement de l'air, l'espace, le trou que la balle fait sur le fond, la forme et la déformation quand elle m'arrive dessus, et son tracé exact quand elle repart, celui que je conçois en esprit un millième de seconde avant de la frapper, après je ne la regarde plus, je suis déjà parti, je ne la regarde pas, je la surveille, c'est autre chose, voilà ce que je voulais raconter, et la foule, la masse qu'elle fait lorsqu'elle a le souffle coupé, je voulais raconter ce qui était en plus et je voulais raconter ce qui manquait, j'ai lu d'autres écrivains pour voir comment ils faisaient, j'ai lu Melville et Hemingway, je ne pensais plus qu'à ça, et c'est alors que la petite amie de l'un de mes fils qui faisait des études au département de littérature française de New York University m'a traduit

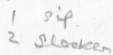

une phrase d'un écrivain qu'elle étudiait, quelque chose comme : « Les yeux de l'esprit sont tournés au-dedans, il faut s'efforcer de rendre avec la plus grande fidélité possible le modèle intérieur », c'est comme ça que j'ai lu, un peu, rien qu'un peu, Proust, mais je n'ai pas réussi à décrire le trajet d'une balle, et pas plus que je ne saurais décrire Barbara je ne pourrais faire revenir son esprit, d'ailleurs je ne l'ai pas connu, son esprit, je l'ai à peine aperçu à travers son corps, et encore, je le confonds peut-être avec celui d'une autre, l'air, le froissement de l'air, la déformation, la disparition et l'apparition de la sensation sur fond noir, c'est ce que je cherchais, j'aurais dû faire avec les mots ce que je savais faire avec la balle, lâcher, au moment important, tenir et lâcher en même temps, Hemingway fait ça très bien, ce qui m'a manqué c'est la détente. Il finit sa canette en renversant la tête d'un coup sec. Proust, quelle idée. Il dit qu'il aurait mieux fait de s'inspirer des lois empiriques de Kepler. Je lui demande s'il a vu *Wanda* à sa sortie. Bien sûr que non, personne n'a vu ce film aux États-Unis quand il est sorti, il est resté dans des circuits très confidentiels, je l'ai vu beaucoup plus tard alors qu'elle était morte depuis longtemps et que moi-même j'essayais d'écrire ma vie en copiant Proust et Melville, de toute façon, je n'ai presque pas de souvenirs, ni d'elle ni d'aucune, pas de mémoire, pas de souvenirs. Il relève la visière de sa casquette et lance élégamment sa canette jusque dans la poubelle loin derrière moi, hyperbole suspendue, on entend le bruit du métal qui s'enfouit en chuintant dans une masse de gobelets vides. Notre conversation est finie. En me serrant la main, il dit : vous savez, Wanda et Mister Dennis, c'est un couple de clowns, c'est Achab et Bartleby voyageant de conserve — l'un qui en veut à mort et l'autre qui préfère ne pas —, une véritable histoire d'amour quoi, ne vous frappez pas trop avec ça. Maintenant, une file de gens se forme pour suivre le Harry Houdini Tour. Certains reconnaissent Mickey Mantle, une poignée de vieux touristes s'approche, ils sont intimidés, voudraient un autographe, une dame qui n'ose pas lui parler me demande les yeux humides si je suis sa fille. La visite commence. *Welcome to the Psychic Theater*, murmure une voix profonde dans un micro. Le groupe s'engouffre dans le noir.

Ce que ma mère a vécu dans l'intervalle minuscule, presque dérisoire de sa fuite, c'est qu'elle a voulu mourir. Et encore, le mot est trop grand. Je sens bien à l'écouter que c'était une douleur raide, pas un vague à l'âme, c'était un coup, un trou, pire, un goulet, la taille d'une tombe trop étroite. Je vois bien qu'elle avance avec précaution dans la description — ce sont mes mots qui font gravement cortège à son silence. Dans sa souffrance, il n'y avait même plus l'incompréhension de l'abandon, ni la peine répétée de se sentir toujours abandonnée et toujours humiliée — tout cela, vieille archéologie des chagrins, vieille agitation romanesque. Ne reste qu'une chose : être pourtant là, sans pouvoir, sans savoir rien nommer de ce qui est en train de mourir, de ce qui est déjà mort.

La tête dans les mains, Wanda reste prostrée pendant que la télé locale raconte jusqu'à plus soif le détail des événements et retransmet les récits des journalistes. On voit l'image de Mr. Dennis allongé au sol, son corps débiné comme une mince flaque compliquée. On entend les experts décrivant l'attaque ratée face à la caméra avec leurs lunettes à monture d'écaille rectangulaire. En face de Wanda, un homme. Il a commandé encore des bières, il y a déjà entre eux six bouteilles vides sur la table. Il a des galons à son costume. Il se pourrait que ce soit l'un des agents rameutés pour l'arrestation. L'action terminée, il est allé boire un verre. Il a trouvé là Wanda, immobile. Il est gentil, une bonne gueule, l'air tendre, presque timide. Il lui dit : vous ne dites pas un mot, je parle, je parle, je parle et vous restez là perdue dans vos songes. Il a recommandé deux bières. Gentil. Pas très sûr de lui sans doute, visiblement content d'avoir trouvé une fille facile, peu importe qu'elle ait l'air parfaitement morte.

Comme si le film se rembobinait : un bar, la tête dans les mains, un homme qui offre des bières. Puis on avance encore et on croirait revenir sur nos pas : un paysage creusé, des carrières, blanches cette fois, un lieu égaré. Une décapotable rouge vif glisse vers nous, on entend le froissement léger des pneus sur le sable et le chant intermittent d'un oiseau comme si tout était calme, la calandre brille au soleil, intérieur-extérieur le rouge est explosif, on distingue le chignon blond de Wanda pendant que la voiture glisse sous nos yeux, arrondit sa course et s'arrête devant un affaissement de pierres — quelque chose d'imminent vient buter mollement au fond de la carrière. La voiture à l'arrêt, le type gentil fait vrombir son moteur à plusieurs reprises, vantardise ou menace, puis il glisse son bras le long du cuir rouge, s'approche et dans le même mouvement, ce type sait y faire, dépose le sac que Wanda gardait sur ses genoux, le pose à ses pieds, lui parle à voix basse, tendrement, comme à un enfant, et dans le même mouvement, ce gentil s'y connaît, il l'attire contre lui, jamais commode dans une voiture, d'une main il enlève les obstacles qui se présentent, l'ordinaire est toujours plein d'obstacles, de l'autre il l'attire encore, dans un même mouvement il la prend contre lui, d'une main il s'affaire en parlant doucement, des petits bruits doux, caressants, de

108

l'autre il l'enveloppe, la fait glisser sous lui, la fait disparaître dans l'évidence non partagée et le silence de ce qu'on appelle le consentement, on ne la voit plus, plus de bruit, pas de mots, seul l'oiseau, elle est ensevelie sous ce corps sombre devenu informe, disparue sous lui, il pèse, je perds souffle, je suis écrasée, plus un mot tandis que le type gentil la viole.

En 1970, à la sortie du film, les féministes ont détesté *Wanda*. Elles ont durement critiqué Barbara Loden. Elles se sont insurgées. Quoi ! Une femme passive, soumise au désir d'un autre, et qui a l'air de prendre plaisir à son asservissement ! *Don't show women in such a bad way !* Elles voyaient dans Wanda une femme de l'indécision, de l'assujettissement, incapable d'affirmer son désir, qui ne portait aucune revendication, ne créait même pas de contre-modèle militant, pas de prise de conscience, pas de nouvelle mythologie de la femme libre. Rien.

Madison Women's Media Collective, 1973 :

« Pensez-vous faire de *Wanda* un moyen pour élever la conscience des femmes des classes laborieuses ?

— Quand j'ai écrit *Wanda*, je ne savais rien du mouvement de libération des femmes, ça a commencé plus tard. Le film n'a rien à voir avec la libération des femmes. »

D'Elia Kazan, Barbara dit au magazine *FILM*, en juillet 1971 :

« Il m'a appris que le plus important était de ne pas être silencieux. Je l'étais, ne disant jamais un mot, toujours silencieuse. Et maintenant, qu'est-ce qu'il reste à faire ? Il m'a dit qu'il faut être *entendu*. Vous devez être entendu pour chaque chose que vous faites. C'est pour ça que j'ai fait *Wanda*. C'est une façon de confirmer ma propre existence. »

Et soudain, du fond de l'enfouissement, elle crie, ça ressemble d'abord à un marmonnement lointain, puis c'est un cri, un cri de refus, une explosion de rage et de détresse, elle repousse l'homme à coups de pied, elle hurle maintenant en le frappant, elle refuse, elle en trouve la force, et elle émerge enfin. Le sac, elle n'oublie pas le sac. Elle s'échappe, court, trébuche et se relève, s'enfonce dans les taillis tout proches, court, s'y enfonce et se perd. Ce n'est peut-être qu'un petit bois municipal mais elle entre ici comme dans une forêt mythologique, elle pénètre dans le cercle des antiquités oubliées et des corrélations fabuleuses, le lieu des vérités indéchiffrables ménagé entre deux aires de parking. Elle y court éperdument, elle y fond comme dans le sommeil.

« Elle paraissait tendre vers un infini dans lequel elle pourrait se perdre. Elle se souvenait de la nuit où elle avait nagé vers le large, et de la terreur qui l'avait saisie à l'idée de ne pas pouvoir regagner le rivage. Edna ne regardait pas en arrière à présent, mais continuait, continuait, revoyant la prairie d'herbe verte qu'elle avait traversée enfant et qu'elle avait crue sans commencement ni fin. Elle regarda au loin, et la terreur ancienne fulgura un instant, puis retomba. »

C'est la nuit. Une nuit paisible, Wanda y avance à pas lents, on la suit de dos au sortir de la forêt. Au loin, de larges baies lumineuses, un mur de lumière, un monde de pièces accueillantes émergent de l'obscurité. Soudain quelqu'un, une femme, *honey, you're waiting for somebody ?*, non, elle n'attend personne, elle n'attend rien. Le dernier lieu est clos, il y a de la musique, des voix, on lui donne à boire, à manger, on lui propose des cigarettes, on lui fait simplement place avec l'attention et l'indifférence qui conviennent. Elle est un peu tassée sur sa banquette au milieu d'autres tranquillement occupés au plaisir et à l'ennui d'être ensemble. On ne sait pas ce qu'elle perdra ni désormais ce qu'elle trouvera. Elle reprend des forces. Elle préfère peut-être s'enfoncer dans une solitude harassante, mais qui lui appartient. Ici, Barbara confie Wanda à sa propre vie, aussi

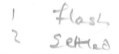

1 flash
2 settled

111

désespérante, aussi insensée soit-elle. Marguerite Duras a parlé de gloire. Parlant de Barbara dans cette dernière scène, elle a dit : « C'est comme si elle atteignait dans le film une sorte de sacralisation de ce qu'elle veut montrer comme une sorte de déchéance et que, moi, je trouve une gloire, une gloire très très forte, très violente, très profonde. » Désir de triomphe, volonté d'accomplissement grandiose dans la défaite. Je préfère ce que dit Céline : quand on est arrivé au bout de tout et que le chagrin lui-même ne répond plus, alors il faut revenir en arrière parmi les autres, n'importe lesquels. Wanda au terme de son périple est assise, un peu tassée, sur une banquette au milieu des autres. L'image se fige, granuleuse, imparfaite. Wanda. Simplement une parmi les autres. Telle, dans le monde ainsi qu'il est. Le noir se fait.

Par en dessous, elle a regardé la piscine de Cap 3000, ce miracle figuratif qui avait fasciné les visiteurs à l'inauguration du centre commercial, elle a regardé les corps d'enfants plongeant avec une gaieté amortie, elle a regardé les nageurs posés là-haut à la surface, elle les voyait sortir de l'eau, se hissant en raccourci sur l'échelle, le corps tronqué puis vaporisé dans l'air et la lumière, elle en voyait d'autres qui s'élançaient avec véhémence ou résignation comme des spectres effervescents et qui fondaient, fuligineux, dans la noirceur de l'eau, et elle a croisé le

1 Willingness
2 voyage
3 representational
4 sooty

regard d'une femme qui nageait lentement au fond, là, si près d'elle, glissant et tâtonnant, scrutant par les hublots immenses comme si elle jetait un œil outre-tombe, regardant, cherchant ce qui était perdu, puis remontant, et revenant, souriant, remontant, fuyant très vite, et revenant.

DU MÊME AUTEUR

Aux Éditions P.O.L

SUPPLÉMENT À LA VIE DE BARBARA LODEN, 2012, *prix du livre Inter 2012* (Folio n° 5626).

L'EXPOSITION, 2008, *prix Lavinal Printemps des lecteurs 2009.*

Chez d'autres éditeurs

LES VIES SILENCIEUSES DE SAMUEL BECKETT, *Allia*, 2006.

ANTOINE VITEZ, ALBUM, *Imec / Comédie-Française*, 1994.

COLLECTION FOLIO

Dernières parutions

5432. Jean Hatzfeld — *Où en est la nuit*
5433. Gavino Ledda — *Padre Padrone. L'éducation d'un berger Sarde*
5434. Andrea Levy — *Une si longue histoire*
5435. Marco Mancassola — *La vie sexuelle des super-héros*
5436. Saskia Noort — *D'excellents voisins*
5437. Olivia Rosenthal — *Que font les rennes après Noël?*
5438. Patti Smith — *Just Kids*
5439. Arthur de Gobineau — *Nouvelles asiatiques*
5440. Pierric Bailly — *Michael Jackson*
5441. Raphaël Confiant — *La Jarre d'or*
5442. Jack Kerouac — *Visions de Cody*
5443. Philippe Le Guillou — *Fleurs de tempête*
5444. François Bégaudeau — *La blessure la vraie*
5445. Jérôme Garcin — *Olivier*
5446. Iegor Gran — *L'écologie en bas de chez moi*
5447. Patrick Mosconi — *Mélancolies*
5448. J.-B. Pontalis — *Un jour, le crime*
5449. Jean-Christophe Rufin — *Sept histoires qui reviennent de loin*
5450. Sempé-Goscinny — *Le Petit Nicolas s'amuse*
5451. David Vann — *Sukkwan Island*
5452. Ferdinand Von Schirach — *Crimes*
5453. Liu Xinwu — *Poussière et sueur*
5454. Ernest Hemingway — *Paris est une fête*
5455. Marc-Édouard Nabe — *Lucette*
5456. Italo Calvino — *Le sentier des nids d'araignées* (à paraître)
5457. Italo Calvino — *Le vicomte pourfendu*
5458. Italo Calvino — *Le baron perché*
5459. Italo Calvino — *Le chevalier inexistant*
5460. Italo Calvino — *Les villes invisibles* (à paraître)
5461. Italo Calvino — *Sous le soleil jaguar* (à paraître)
5462. Lewis Carroll — *Misch-Masch* et autres textes de jeunesse
5463. Collectif — *Un voyage érotique. Invitation à l'amour dans la littérature du monde entier*

Composition Igs
Impression Novoprint
à Barcelone, le 10 août 2013
Dépôt légal : août 2013

ISBN 978-2-07-045322-1./Imprimé en Espagne.